共鳴する未来

データ革命で生み出すこれからの世界

宮田裕章
Miyata Hiroaki

河出新書
020

まえがき

今日ほど、文明の質的転換が求められている時代はないかもしれません。

ＡＩ、ビッグデータ、デジタル・トランスフォーメーション（ＤＸ）など、データやテクノロジーに関する話題はあふれています。しかし、それらの多くはビジネス面での影響にとどまり、文明の歴史的な転換が進行しつつあることを見逃しています。

本書は人と人、人と世界がデータを通じて共鳴することで生まれる新たな文明、そこにある希望を描くものです。

私はデータサイエンスを軸にした科学的方法論を用いて、医療やヘルスケアだけでなく社会システムや暮らしのデザインなど、現実を改善するための様々な実践とビジョン作りに関わってきました。詳細は本文の中で触れていきますが、私が一貫して重視してきたのは、それらの実践は常に、誰も取り残すことなく、一人ひとりが豊かな生き方を考え実現することを、支えるものであること。その実践が楔としてつながって、新しい社会の輪郭を描くものであることです。本書のタイトルである「共鳴する未来」とは、一人ひとりの「生きる」を響き合わせて多様な社会を創り、その世界を共に体験する中で一人ひとりが輝くという、新しい文明の可能性を示したものです。

新しい社会の実現にはデータの活用が不可欠です。しかしながらデータの活用には、国家や一部の企業が独占するのではという疑念や、悪用されるのではといった不安を持っている人は、今なお多いでしょう。だからこそ、「データとは何か」「データには何ができるか」という根本的な問いから目をそらすべきではありません。データは適切に活用すれば、私たち一人ひとりの体験、企業、コミュニティ、国家、世界のあり方をのぞましい方向へ変容させる力を持っています。しかしそれを実現できるかどうかは、私たち次第なのです。

序章でも論じますが、二〇二〇年春からのコロナウイルス感染症の拡がりに伴い、生活スタイルが変化した今は、民主主義や資本主義など社会のあり方が問われている時です。

第一章では、私がこれまで関わってきたプロジェクトの紹介をし、第二章では、データは誰のものかという本質的な問題を扱い、第三章では、データによって多元化した価値観が経済面ではどのように展開しうるかを検討します。そうしてデータとともに生まれる新しい世界が、私たち一人ひとりの生き方を変える可能性について最後の第四章で論じます。

議論を深めるため、第二章から第四章では、各テーマに関わりが深い研究者の方々に対談相手となっていただきました。

本の出版を考え始めたのは、二〇一九年の秋でしたが、二〇二〇年に入り、新型コロナウイルスが到来した世界では、データ活用と個人・社会のゆくえを問う意義は、さらに増していると感じています。本書が、新しい文明を生み出していくための議論のとば口となれば幸いです。

目次

第三章 多元化するデータ・エコノミー

序章

コロナ禍が突きつけた文明への問い

二〇一九年までの日常は戻らない

新型コロナウイルス感染症（COVID-19）の感染者が日本で発生してから、すでに半年以上が経過しました。その間、このウイルスは世界中で猛威を振るい、いまなお感染者数は増え続けています。また、現時点では、COVID-19の実態をまだ明確に捉えることもできていません。

はたしてこの先、世界はどのように変わっていくのかと、不安に感じる人も多いだろうと思います。ただ、コロナの終息が不透明だとしても、私たちはこれを奇貨として、「世界をどのように変えていきたいか」と主体的に考えてみるべきではないでしょうか。

すでにご承知のとおり、新型コロナウイルスは、甚大な災禍を世界にもたらしました。現状、死者数が相対的に少ない日本で生活しているとピンとこないかもしれませんが、アメリカ、スペイン、イタリア、イギリス、フランスといった欧米諸国やブラジル、メキシコ、インドなどでは、数万～十万人規模の人々が新型コロナウイルスによって命を失っています。ＧＤＰや失業率を見ても、リーマンショックを遥かに超えて約一〇〇年前の世界大恐慌レベルの落ち込みと言われています。

こうした状況から考えると、もはやかつての日常は戻ってこない。二〇一九年までに私たちが見ていた日常の延長にある未来は、一度リセットされたものと考えなければなりません。

もちろん、戻ってくる日常もあるでしょう。先述した欧米諸国では、ロックダウンのような強制措置が少しずつ緩和されつつあります。日本でも緊急事態宣言は解除されました。しかし同時に、新型コロナウイルスの存在によって不可逆的な変化が社会に起こり始めていることも事実です。

それはこういうことです。感染爆発が発生したアメリカやイタリアの特定地域でさえ、抗体保有率は一〇～二〇％にとどまっています（二〇二〇年八月現在）。したがってこうした地域でも、第二波、第三波が到来したときに、同じような規模で再度、被害を受ける可能性がある。また三分の一の患者で抗体が弱い、またはできていない、という結果を示す研究もあります。抗体が定着しない場合には、インフルエンザのように、毎年新型コロナウイルスの暴威に晒され続けるかもしれません。

仮にワクチンが完成したとしても、一般市民に普及するまでには時間がかかります。少なくともそれまでの間は、予防的な生活を続けざるをえません。たとえば韓国では、一時、感染者がほとんど出なくなった時期に、職場や学校、飲食店、ジム、カラオケボックスなどでの行動についての細かい行動ルールをガイドラインとして示し、最長で二年は続ける覚悟が必要であることを国民に伝えています。

新型コロナウイルスが引き起こした大変化

それでもいつかはかつての日常に戻るんじゃないか、と考えたい人もいるかもしれません。でも、はたしてそうでしょうか。新型コロナウイルス出現以前の私たちの社会や暮らしを、戻るべき日常として考えていいのでしょうか。

決してそうではないと思います。二〇一九年の日本、そして世界には問題が山積みでした。環境問題しかり、貧困・格差問題しかり、働き方や教育しかりです。よく考えてみると、コロナ以前にも改善すべき不合理なことが数多くありました。

だとすれば、いま新型コロナウイルスによって否応なく引き起こされている変化を、以前の状態からの逸脱と捉えるのではなく、新しい場所に向かうためのきっかけとして捉え

	第1回（n=6,088,488）	第2回（n=6,531,337）	第3回（n=6,283,871）
県	3月31日−4月1日	4月5−6日	4月12−13日
全国	13.99	16.2	26.83
北海道	5.08	5.06	6.49
青森県	2.69	3.05	4.53
岩手県	2.6	2.68	3.93
宮城県	4.93	5.84	9.51
秋田県	3.49	3.61	4.64
山形県	2.75	3.12	4.94
福島県	2.85	3.18	4.81
茨城県	7.9	9.47	15.8
栃木県	5.36	5.7	11.88
群馬県	5.02	5.53	8.46
埼玉県	16.18	18.83	32.64
千葉県	18.24	21.38	36.03
東京都	30.71	34.62	51.88
神奈川県	24.05	27.69	43.95
新潟県	3.4	3.49	4.59
富山県	2.66	3.24	5
石川県	3.97	4.89	8.93
福井県	3.56	4.51	8.98
山梨県	4.5	5.32	8.71
長野県	4	4.15	6.58
岐阜県	3.98	4.79	9.88
静岡県	4.63	5.02	8.03
愛知県	5.83	6.85	15.56
三重県	3.54	4.2	7.15
滋賀県	5.24	6.52	13.09
京都府	7.34	9.91	19.34
大阪府	8.66	10.95	26.28
兵庫県	7.75	9.29	22.69
奈良県	6.61	8.33	18.29
和歌山県	4.92	5.17	8.71
鳥取県	2.78	2.75	3.81
島根県	2.17	2.17	3.27
岡山県	3.71	3.84	5.53
広島県	4.29	4.69	6.92
山口県	3.26	3.55	5.06
徳島県	3.58	3.92	5.08
香川県	3.74	4.01	5.6
愛媛県	3.59	3.87	5.35
高知県	3.72	3.47	5.63
福岡県	6.2	7.97	20.22
佐賀県	2.89	3.39	6.28
長崎県	3.22	3.44	5.08
熊本県	4.04	4.4	6.98
大分県	3.43	3.7	5.22
宮崎県	4.19	4.01	5.48
鹿児島県	3.22	3.58	4.6
沖縄県	6.27	6.31	11.29

図1　オフィスワーク中心で働いている人々のテレワーク実施率（％）（厚生労働省の第1回－3回「新型コロナ対策のための全国調査」報道発表資料をもとに作成）。

ることが必要です。

たとえば次章でくわしく取り上げますが、私が参画し、厚生労働省と連携して行ったＬＩＮＥ八三〇〇万人の調査では、第一回調査が行われた三月三一日・四月一日、第二回調査が行われた四月五・六日、第三回調査が行われた四月一二・一三日というたった五日刻みの期間の中で、私たちの常識が大きく変わったことを示しています（図１）。

とくに注目したいのが、オフィスワーク中心で働いている人々のテレワーク実施率です。当時、緊急事態宣言の対象となった関東エリアでは約一〇日の期間の中で、倍増に近い割合で増えています。東京では、第三回調査で五割を超えました。

多様な働き方を実現する重要な選択肢として、テレワークの必要性は、従来から議論されていました。しかし導入する企業はごく少数にかぎられていた。大多数の会社員は、会社には通勤して当然と思っていたでしょう。その常識がとてつもないスピードで覆されたのです。

教育もそうです。同じような集団を、年がら年中一つの箱の中にすし詰めにして学ばせる現在の教育は、忍耐強く、長距離を行軍する兵士を育てるには適したプログラムかもしれませんが、多様な生き方を肯定するのであれば、不要なものがたくさんあります。極論をいえば、知識を詰め込む教育なら、選り抜きの名人教師が切磋琢磨し、その講義をオンラインで生徒に受けてもらうほうがいいかもしれません。

これまで高等教育、特に質の高い教育は、人が密集する大都市に集中していたので、地方の移住を夢見ても、子供の教育を考えて都市を選択する人が多かったと思います。でもオンライン学習で最高レベルの教育を受けることができるのであれば、住まいのあり方も変わってくるかもしれません。

もちろん、だからといって、学校という場や教師が不要だといいたいわけではありません。知識を授けることよりも重要な、教師としての仕事があります。それは生徒一人ひとりに向き合ってケアすることでしょう。

普段の学習を遠隔でやりながら、地域の中に入って祭りの企画を一緒にする。あるいは、アントレプレナー的な発想で地域の催しを企画してみる。あるいは、多様な職業の中で経験を積みながら自分の力で学んでいく。学校の先生が、そういった多様な学びを支援する役割を担ってもいいでしょう。

「価値革命」の時代

このようにコロナ危機は、一方では甚大な災禍を人類に与えましたが、他方ではこれまでは考えられなかったスピードで、私たちの生活スタイルを変えようとしています。

そして、そのいずれにも決定的な役割を担っているのが、本書のテーマであるデータ活用です。

私は、医療を軸にデータサイエンスや政策の研究者としてキャリアを重ねてきました。そして現在は、医療分野だけにとどまらず、データを活用したさまざまな社会変革を提言し、実践に向けて働きかけています。

その中身はおいおい紹介していきますが、ここで確認しておきたいことは、新型コロナウイルスの感染拡大によって「データをどのように活用すべきか」という問いが、私たち一人ひとりの生命や暮らしにダイレクトに関わるアクチュアルな問題として捉えられるようになったということです。

すでにご承知のように、コロナ危機以前においても、ビッグデータやそれを処理する

ＡＩが社会に大きなインパクトを与えています。それは大袈裟ではなく、文明の転換点を告げるものでした。長い人類史のなかで、農業革命、産業革命につづく、文明の転換点である現在の革命を、ここでは「価値革命（Value revolution）」と呼ぶことにしましょう。

アメリカの有名な未来学者であるアルビン・トフラー（一九二八－二〇一六）は、一九八〇年の段階で、農業革命、産業革命という二つの変革の波に続く、第三の波は脱産業化した情報革命であることを予見しました。トフラーの言葉を引用しておきましょう。

第三の波の文明にとってもっとも基本的な資源、しかも決して尽きることのない資源は、情報であり、想像力もこれに含まれる。情報と想像力とによって、今日の限りある資源に取って代わるものが発見されるであろう。もっとも、この代替物は、再びはげしい経済の動揺を伴わずにはいないと思われる。

情報が、かつてなかったほど重要になるに従い、新しい文明は教育を建て直し、科学の研究を定義し直すだろう。それにも増して、情報伝達のメディアを再編成することになろう。（アルビン・トフラー『第三の波』徳岡孝夫監訳、中公文庫、四五八頁）

トフラーを皮切りとして、情報技術の進展を新たな革命と捉える議論は、ＩＴ革命やＩＣＴ革命、第四次産業革命、Society 5.0など、さまざまな用語で形容されてきました。私の高校・大学時代には、ＩＴ革命が盛んに謳われたことを記憶しています。ネットが人類を変えるのではないか。ネットによって国境を越えた世界的な民主主義が実現するかもしれない。こうしたネット万能論が席巻した時代でしたが、それはやがて幻滅に変わっていきました。

それを象徴するのが二〇一〇年から二〇一一年にかけて起こったアラブの春です。アラブの春では、チュニジア、エジプト、リビアなどで起こった民主化を求める民衆運動を展開するうえで、ソーシャルメディアが大きな役割を果たしたことが注目されました。ネットによって人々がつながれば、民主的な政治を実現できる。世界中の目が中東に注がれました。しかし結果は人々の期待を裏切るものであり、中東の混乱からイスラム国が生まれ、世界はテロの恐怖に脅かされる時代を迎えました。

現在のソーシャルメディアを見ても、ＩＴ革命やソーシャル革命の挫折は明らかでしょう。誰もがインターネットにつながっていますが、自分の見たいものや聞きたいものだけを選択するコミュニケーションに閉じこもってしまっています。グローバルな連帯どころか、言語の壁も乗り越えられず、それぞれの言語のなかで閉じたコミュニケーションに終始し、自分たちに都合のいいナショナリズムにフレーミングを起こしている。

その結果、日本のみならず世界中で右傾化に拍車がかかり、ヨーロッパでも極右の政権や政党が同時多発的に台頭しています。

私と同様、IT革命への期待と挫折を繰り返し経験してきた人たちにとっては、私が「価値革命」といっても、ネット万能論の亜流としか聞こえないかもしれません。では、私が考える価値革命は、従来のネット万能主義とは何が違うのか。それは、社会を駆動する資源が、石油からデータへと転換している点に求められます。

石油からデータへ

二〇世紀において世界経済における時価総額のトップを走り続けていた企業は、石油メジャーと言われる四社でした。この石油メジャー四社の時価がGAFA（Google、Amazon、Facebook、Apple）の四社に抜かれたのが二〇一二年です（図2）。

それからわずか数年で、GAFAは数倍の大きさに成長し、二〇二〇年の時点で時価総

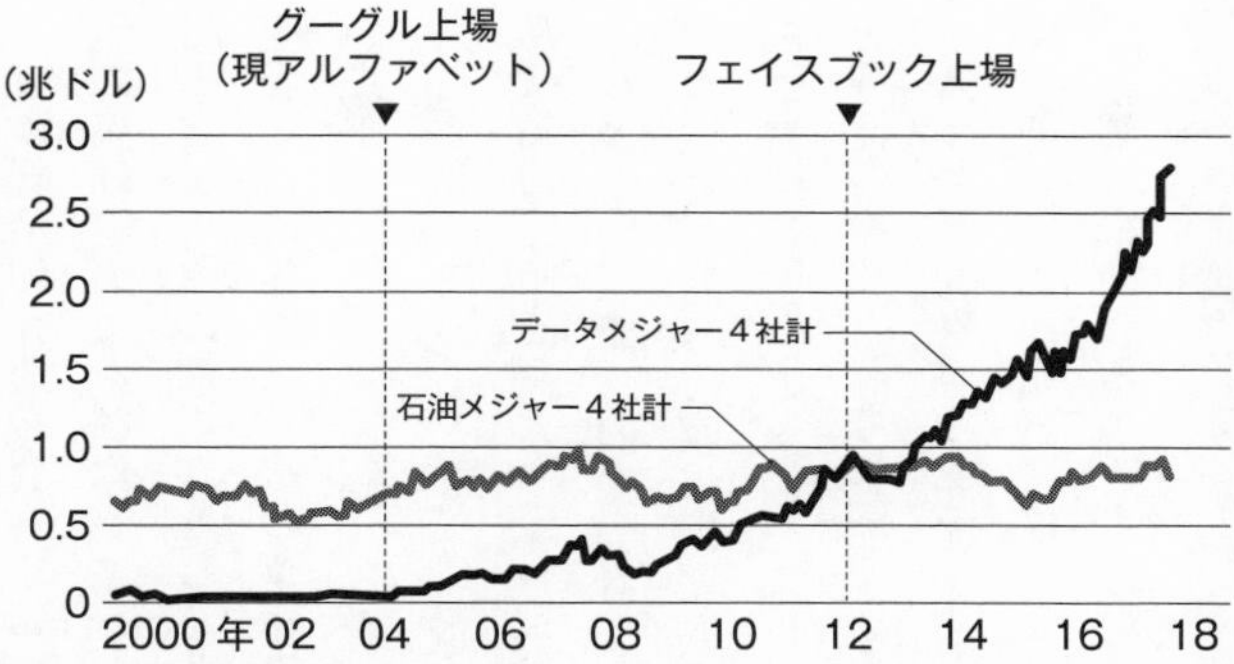

石油４社はエクソンモービル、ロイヤル・ダッチ・シェル、BP、シェブロン。
データ４社はアルファベット、アップル、フェイスブック、アマゾン・ドット・コム

図2　時価総額の経年推移（「日本経済新聞」2018年４月３日掲載の表をもとに作成）。

額トップ10の企業は、ＧＡＦＡやアリババ、テンセントなど、データに関連した企業によって占められています。これは一過性の現象ではありません。たとえばアマゾンと聞いて、多くの人々が思い浮かべるのはAmazon.comですが、二〇二〇年の時点で高い利益率を誇り、アマゾンの利潤を支えている主役は現時点ではAmazon.comのＥコマースではなく、IaaS（Infrastructure as a Service）などのクラウドビジネスを展開するＡＷＳ（Amazon Web Services）です。その意味で、アマゾンはこの二〇年間のうちに、Ｅコマース、クラウドビジネスと二度創業し、成功しているといえます。

近年、「デジタル・トランスフォーメーション（ＤＸ）」という言葉が少しずつ浸透しています。

日本経済団体連合会も、二〇二〇年五月一九日に、「Digital Transformation（DX）～価値の協創で未来をひらく～」という提言書を発表しました。そこではDXを、「デジタル技術とデータの活用が進むことによって、社会・産業・生活のあり方が根本から革命的に変わること。また、その革新に向けて産業・組織・個人が大転換を図ること」と定義しています。

さらに、こうしたDXの最も重要な点は、「生活者の体験価値の追求」と「多様な主体による協創」を軸とした社会経済活動に移行することだと示されています。

DXという概念の提唱者であるウメオ大学（スウェーデン）のエリック・ストルターマン教授は、二〇〇四年に発表した論文「情報技術と豊かな生活（Information Technology and Good Life）」のなかで「DXとは、デジタル技術が、生活のあらゆる面に作用し影響を与える変化として理解できる」と述べています。

AIやビッグデータを活用したDXによって、大きな構造転換を迫られている分野の筆頭にあがるのが金融です。フィンテック（FinTech）と呼ばれる金融テクノロジーによって、銀行業務に携わる必要人員が劇的に減少し、大手銀行は軒並み店舗や採用人数の縮小に舵を切っています。

しかしDXを、「情報技術による効率化の推進」と表層的に理解すべきではありません。ポイントはあくまでも、「人々の生活をあらゆる面でより良い方向に変化させる」ことにあるのです。

その事例として、中国のケースを見てみましょう。中国のIT系企業最大手であるアリババグループの子会社アント・フィナンシャルが大きな変化を起こしています。

それまで中国の地方銀行は、自社の顧客情報しか持っていませんでした。自社データだけを活用するかぎり、資金の運用効率は銀行間に多少の差はあっても、決定的な差をもたらすものではありません。

そのなかでアント・フィナンシャルは、芝麻信用（ジーマ・クレジット）という社会信用スコアを導入しました。

信用を評価すること自体は目新しいものではありません。たとえば一般的な金融機関では、職業や年収、金銭の貸借実績などを用いて信用を評価します。他方、自動車運転免許の評価も、交通ルール違反の減点法による信用評価であるといえます。

芝麻信用の革新性は、これらの情報を多元的に、さらには金融機関を横断して組み合わせることによって、単独の金融機関では実現できないようなサービスを提供できるようにした点にあります。

芝麻信用の活用するデータは金融取引だけでなく、公共料金の支払い、社会における役割、日常生活行動など多岐にわたっています。同社はこうした信用スコアを用いることで、単独の金融機関がこれまで知り得ない情報の活用が可能となり、富裕層ユーザーに対する運用の利益率を大幅に改善することができました。

また、アント・フィナンシャルは「これまでの富の八割を所有する二割の人々のみを対象にした金融サービスを、富の二割しか持たないが人口の八割を占める人たちに同じ運用利益で拡張できる」ということを強調しています。たとえば信用スコアを用いることで、個人の行動と実績を評価し、これまでクレジットカードが作れなかった人たちにチャンスが与えられる。これまでであれば、資金を持たないけれどチャンスをつかみたい人は、まずは数年間働いてから学校に行っていました。その間に、時間を浪費してしまいます。信用スコアを活用することで、人生を担保にしてカードを作るだけでなく、成功率を高めるためのサポートをスコアアップというゲームの中で得ることができるというわけです。

このように中国では、アリババのようなデータプラットフォーマーが、金融分野において最も重要な役割を果たすようになっています。一方で自社データしかもたない既存の銀行は、プラットフォームに抗うことが困難となり、プラットフォームの支配下で限定的な機能を果たす役割しかもちえません。

もう一つDXの事例としてインドの企業も知られています。二〇一九年一二月六日に国際文化会館で開催された「日印対話プログラム」に招かれたときに、格安ホテル予約サービス「OYO Hotels & Homes」の創設者リテシュ・アガルワル（Ritesh Agarwal）と出会いました。まだ二六歳です。

彼は大学中退後、二〇一三年にアジア初のティール・フェロー（PayPal創業者による若手起業家育成プログラム）に選ばれ、ホテル業界で起業しました。データを駆使することで小規模ホテル経営に特化したサービスを提供し、現在では世界第二位のホテルチェーンのオーナーになっています。「一四億人いるとこんな人材も出てくるのか」と驚いたのを覚えています。

中国的な社会信用スコアの是非については、第三章で詳しく論じたいと思いますが、DXが、既存の業界構造を一変させる力を持っていることはおわかりいただけると思います。そして今後は、金融分野だけでなく、広告産業、音楽・映像などのコンテンツ産業、医療産業、自動車産業も確実にその波は押し寄せていくはずです。

データの本質とは何か

おそらくアンテナを張っている人であれば、自社の業界で起きているさまざまな変化を、日々実感していることでしょう。ＤＸやデータを用いたイノベーションを報じるニュースにも事欠きません。

しかし表層的な変化を追っているだけでは、物事の本質を見逃してしまいます。本質を捉えるためには、世界の経済を駆動する資源が石油からデータへシフトしていることの意味を考えなければなりません。

産業革命以降の世界を駆動してきた石油や石炭は、使用すると財としての価値を消失する「消費財」です。有限かつ消費によって消失する資源については、所有権を確立することが決定的に重要になります。こうした資源をめぐり、時に略奪や占有という手段を用いて、企業や国家は競争を行ってきました。

それに対して、データは利用してもデータそのものはなくなりません。医療の側面から考えた場合に、一人の患者のデータを一万人の患者のデータに加えることで双方の価値は高まる。一人は全体のデータから、自分の症状にあった薬を選び、適切な治療のタイミングを判断することができますし、データの規模が拡大し、一〇万人、一〇〇万人となることで、予測精度が高まり全体としての価値も高まります。

このとき集まったデータは、誰かが独占して使うよりも、さまざまな事業体が共有して活用するほうがより多様な価値を提供できることはいうまでもありません。たしかに一企業からすれば、データを独占することによって高まる利益もあるでしょう。しかし、データはその性質上、所有財というよりも「共有財」としての側面が強いのです。ある病院がデータを独り占めしているかぎり、その病院内の知恵しか活用することができません。しかしデータを、多くの病院で共有すれば、その利活用の可能性は格段に高まります。

石油や石炭のような消費財は、使えばそれで終わりです。それに対して、データの生命線は信頼です。信頼してプラットフォームに提供したデータが悪用されれば、人々はそのプラットフォームに不信を抱き、そこから退出するでしょう。使ってもなくなることはありませんが、信頼を失うと根こそぎ枯れ果てるのが、資源としてのデータというものの性質だといえます。

共有財としてのデータが経済や産業の中核を担うようになったとき、私たちはどのような社会を構想すべきか。これが本書で考えていきたい中心的な主題です。

コロナ危機への対応に象徴されるように、データ駆動型社会に対して、人々はアンビバレントな感情を抱いているかもしれません。

データの利活用によって、私たちの社会生活のさまざまな局面で利便性が高まる一方、個人情報が濫用されてしまうのではないか。あるいは、国家や巨大プラットフォーマーによって私たちの行動が逐一、監視されるようになるのではないか。こうした懸念を抱いている方も多いでしょう。

本書では、そういった人々の不安を受け止めたうえで、人と人、人と世界がデータを通じて共鳴する新しい文明の可能性を提示します。

＊

本章を閉じるにあたって、私自身のこれまでの足跡を簡単に記しておきましょう。

私は、高校生ぐらいから、国やコミュニティ、社会活動はどのようにすればもっとよくなるのか、ということを考え、哲学や科学の本を読み、友人や知人とよく対話していました。

大学時代はカリキュラムに沿った勉強は全くしませんでした。自分自身の研究スタイルを最初から作るつもりで知見を深め、大学一年生のときからさまざまな分野の教授にアポイントをとり対話を行っていました。大学のいいところは、その気になればどの学部のどの教授にでもアクセスできて話しに行けることです。

大学入学後、私が最初に重点的に学んだのは脳科学や心理学でした。「文明は、人と人との関係から始まる」「自然を解釈するにも、どうしても人の認知が入り込む」という観点から、人間を軸に世界を考えることを出発点としました。

そのうえで人と人がつくりだす「社会」の仕組みに関心を広げ、法哲学や憲法学、社会心理学、情報工学の講義やゼミにも参加していました。

医学部の保健学分野を進学先に選んだのは、カリキュラムによる拘束が少なかったからということ、人を軸に社会を考えるうえで良い立ち位置だったことです。

ヘルスケアを自分の一つの軸としたのも、社会変革の軸になる分野となると考えたからです。日本ではこの先、少子高齢化・人口減少が不可避的に進行していきます。そのときに、どんなシナリオになったとしても、ヘルスケアは社会変革において不可欠かつインパクトの大きい分野であると考えたからです。

博士論文は、私の専攻分野のなかでは異色の内容でした。タイトルは「社会医学における研究の評価基準」です。

いまでもそうですが、保健学で博士論文を書くとしたら、データを使って実践的な研究内容を書くのが一般的です。逆に理論的な研究は、あまり認められません。しかしこれから自分の研究を確立していく以上、私にとって「研究とは何か」ということは避けて通れない問いでした。そこで、「正しいデータを扱って、正しく世界を見るとはどういうことか」という問題を、博士論文のテーマにしたのです。

審査委員の理解を得るのは手こずりましたが、主査の大林靖雄先生からは、「宮田君は医学者というより、その根本のところをやる哲学者だね」という評価をいただきました。これは私にとって、とても嬉しいことでした。

こうした根本的な問題を博士論文で扱ったことは、その後の自分の研究活動にも大きなメリットをもたらしたと思います。それは、どの分野でも応用できるということです。

その後、私は医療分野を軸にデータ・サイエンティストとしてキャリアを積み重ねてきました。しかし同時に、狭義の専門にとどまらず、社会のさまざまな課題に積極的にコミットし、対応策を提案し続けてきました。

データ・サイエンティストとして実践的な取り組みをする際も、常に念頭においていたのは、「多元的な価値を人々が共創していく」という社会ビジョンです。

経済合理性という巨大なシステムの歯車として人々が生きるような社会から、多元的な価値を人々が共創する社会へとシフトするためにはどうすればいいだろうか。こうした問題意識は、大学時代の対話を通じて得たものです。そして、博士論文や以降のキャリアを重ねながら、大枠のビジョンから、みなさんに考え方を伝える第一歩を踏み出しています。

それが本書『共鳴する未来』です。

第一章

データ駆動型社会はヘルスケアから始まる

個人のデータベース構築が進むとき

序章では、現在、世界の経済を駆動する資源が「石油からデータへ」へとシフトしていること、そしてデータというものは、独占的に所有するのではなく、共有財として活用することによってこそ、大勢の人に価値をもたらすことが可能になることを説明しました。

本章ではこのことを、医療やヘルスケアの分野を例にとって、さらに具体的に解説してみたいと思います。

最初に医療とヘルスケアの分野を取り上げることの理由は、これらの分野が、データを活用しながら、人々の「健康」という、経済的価値とは異なる価値の実現を目的としているからです。

私が、最初に医療とデータを結びつける取り組みを始めたのは、心臓外科の分野でした。

かつての医学の世界では、研究だけに専念して患者を診ないという医師が少なくありませんでした。しかし、患者をないがしろにする風潮に対して反発する医師が増え、少しずつ「患者ありき」の医学というふうに風向きが変わっていきました。外科医にとって研究は手段であって、患者の命を救う技術を向上させねばならない。そういう志の高い外科医と一緒に取り組んだのが、二〇〇六年から合流した心臓血管外科手術のデータベースのプロジェクトです。

それまで外科手術というのは、職人芸のような世界として考えられていたため、客観的な評価がしづらかった。ひどい場合には、名人を騙ることもできてしまう。「神の手」と自称し、腕も悪いのにプレゼンだけ上手な医師もいたわけです。

外科手術の客観的評価を確立するために始まったのが、心臓外科手術のデータベース構築プロジェクトです。しかし当初は、データを集めるだけのプロジェクトだったので、「ただでさえ忙しいのに、入力などの手間ばかりかかる」と現場から反発する声もけっこうありました。

しかし私がプロジェクトに参画した時期から、現場の医師がデータを入力した時点で、分析結果をフィードバックするような仕組みを導入するようにしたところ、現場も協力的になっていきました。

それぞれの患者さんに、どういったリスクが予見されるのか。内科領域であれば、適応のある薬剤投与はどんな組み合わせなのか。実施してはいけない検査の有無は何か。そんな情報が即座に得られ、手術前のカンファレンスやインフォームドコンセントに活用できるようになったのです。

そうなると、データを入力することも、時間泥棒の作業ではなくなります。自分は患者さんのためにこのプロジェクトに参加しているという納得感が高まるのです。

全国五〇〇〇病院がデータを提供

その結果、プロジェクトに参加してくれる施設も飛躍的に増えました。私が合流した時点では三〇～四〇施設でしたが、一〇〇施設、二〇〇施設、五〇〇施設と増えていき、二〇〇九年頃には、このデータベースに加わらないと心臓外科医とは認められないというところまで定着していきました。患者目線に立つことは、自分たちの手術を客観的に把握することであり、そのためにはデータベースに登録しなければならない。そういう意識が医師たちに共有されたわけです。

この心臓外科手術のデータベースプロジェクトが成功したため、同様の取り組みが一般外科にも広がりました。そうして二〇一〇年にできあがったのが、National Clinical

Database（ＮＣＤ）という組織です。

ＮＣＤの主たる事業は次の四点になります。

（１）医療情報を集積したデータベースの維持管理及び提供
（２）収集したデータの分析
（３）データベースを活用した医療水準の評価及び臨床研究の支援
（４）データベースの運用による関連団体との業務連携

現在、五〇〇〇以上の施設がＮＣＤに参加し、すべての施設がほぼ全数の症例を登録しています。これは日本の外科手術を行うほぼ全数の施設をカバーしています。ここまでＮＣＤが定着した背景には、専門医制度との連携をつくったことがあります。

「専門医制度」とは、それぞれの学会が医師を審査・認定する仕組みのことです。かつては、この審査をすべて紙の書類でアナログに処理していました。

たとえば手術の実績である何百という手術カルテも、自分で集め、コピーをして資料をつくる。それを一つ一つ審査する側も膨大な手間がかかります。

しかしＮＣＤが構築されてからは、それをデータで処理できるようになりました。つまりＮＣＤを使えば、この手術をいつ、どこで、何件やったのか、すぐに抽出することができる。医師免許を得たときに振られる医籍番号を登録すれば、これまでに自分が施した手術のデータのすべてが瞬時に分かるようになったのです。

ＮＣＤの仕組みも先ほどの心臓外科手術のデータベースと同じです。治療時の情報を入れると、その患者さんにどういったリスクが予見されるか、行ってはいけない検査は何かといった内容をフィードバックされながら医療を考えていくことができるわけです。

ビッグデータで医師の技術や信用を担保する

医療の臨床現場では、目指すべき指針としてＥＢＭ（Evidence-Based Medicine）というものがあります。患者さん個々の状態を勘案しながら、医学的知見や過去の症例、医療的実績に基づいて最適な治療を施すべきだという考えです。

これまで、ＥＢＭを完璧に実施しようとすれば、診療ガイドラインを正確に記憶したうえで、刻々と変わるエビデンスを英語論文で読み、学会にも出席して、自分自身を常にアップデートしていかなくてはいけませんでした。もちろん、プロフェッショナルとして不断の努力を日々重ねるべきであることは、言うまでもありません。けれど、個人のなせることにはどうしても限界があります。

加えて、施設ごとの医療資源やマンパワーにも、当然ながら差はあります。先端の研究をしており設備も整っている病院もあれば、地域の医療を守るべくわずかな人員で臨床に当たっている小規模な施設もある。

すべての施設で患者さん一人ひとりに最善の医療を提供することを真っ先に考えるならば、あらゆる臨床現場がビッグデータに基づくシステムにつながって、これを活用すべきなのは、自明でしょう。そうすれば、それぞれの臨床現場で、今ある環境下で最善の治療は何か、ほかの病院に搬送した方がいいのかなど、エビデンスを踏まえたプロセスを、逐一提示できるようになります。

大量のデータを用いることは、そのまま解像度の高い治療を行うことにつながります。たとえばがん患者の場合、年齢は八〇歳なのか九〇歳なのか、糖尿があるのか、透析があるのかといったことを踏まえたうえで、目の前の個人に対する最善の治療を吟味することができる。あるいは、病院によって使える資源が違います。そのときに、許された資源の中で最善の治療は何か、ほかの病院に搬送したほうがよいかどうかという判断材料が、エビデンスを踏まえて提示されるわけです。現場の医師たちは、こういったフィードバックを受け取りながら自分たちの能力を拡張し、互いに連携して地域を支える医療を実践しているのです。

こうした医療データベースは、社会や市民に最善の医療を提供することが目的とならねばなりません。

二〇〇六年にハーバード大学のマイケル・ポーター教授らが書いた『Redefining Health Care: Creating Value-based Competition on Results』（邦題『医療戦略の本質――価値を向上させる競争』日経BP）では、医療の目標とは患者にとっての価値を高めることが第一であり、その実現に向けて金銭的、人的資源をどのように設定するかを考えるべきであると論じられています。

ですから、医療データベースを構築するうえでも最も重要なことは、さまざまな情報を活用して、治療成績を改善させていくことに尽きます。

先述したNCDを活用すると、医療施設や診療科、医療従事者のパフォーマンスを数値で観測・検討することができるようになります。施設や個人の能力・実績についての指標が得られるので、それを基にして、体制や治療技術の改善を図ることもできます。医療の世界ではどの施設もあらゆる関係者も、日々の業務に最善を尽くしています。それは百も承知のうえで言うのですが、それでも、どこにでも、課題や得手・不得手はあるものです。

これを自身で見いだし、客観的な目を保って軌道修正することは、なかなか難しいものです。そこで全国の他の施設と比較して、自分たちの位置付けはどうなのかと理解することによって、治療成績を改善させていく。自分の強みと弱みをきちんと分析することによって、PDCA（計画・実行・評価・改善）サイクルを回していけるわけです。

日本と米国、手術後の「三〇日死亡率」に大きな違い

ここまで述べたように、臨床医療の分野では、すでにビッグデータがかくも有効に使われ、サービス受益者の目には映らぬところで、質的向上に資する動きをしています。

こうした取り組みは、公共政策でも一般サービス業でも、また個人で何かを成し遂げようとするときにも、あらゆる分野で応用可能な方法論です。

医療の分野ではこれまで、臨床現場における個々のケースの独自性が強いと考えられてきました。そのため、これまではビッグデータなどを体系的に生かしてＰＤＣＡサイクルを回すことが困難と思われ、現場で取り入れられてきませんでした。

しかし、ＮＣＤのような信頼性のあるビッグデータが整備された現在では、必須の考え方となってきています。

実例を一つ、挙げてみましょう。

図3は、左が米国の大規模医療施設、右が日本の医療施設の、ほぼ全数の臨床データです。膵頭十二指腸切除、膵臓低位前方切除、右半結腸切除の手術について、死亡率と術後在院日数を比較しています。

日米の施設で「三〇日死亡率」を比べると、「米国対日本」が、それぞれ「二・五七対一・三五」「一・〇七対〇・四四」「三・四七対一・二〇」となっています。日本の死亡率は低く、手術レベルに遜色のないことが読み取れます。

ただし注意が必要なのは、日本は在院期間が長く、術後三〇日以内に亡くならなくとも、その後の入院期間中に亡くなるので、在院死亡はこの値の二倍ほどになります。米国と比較して圧倒的に優れているとは必ずしも言えません。

		米国の施設	日本の施設
膵頭十二指腸切除		調査数 5182 例 30 日死亡率 2.57%	調査数 1 万 5528 例 30 日死亡率 1.35%
術後の入院日数	合計	9 日（7-14 日）	31 日（22-43 日）
	生存者	9 日（7-14 日）	31 日（22-43 日）
	死亡者	11 日（6-17 日）	17 日（15-24 日）
膵臓低位前方切除		調査数 1 万 3989 例 30 日死亡率 1.07%	調査数 3 万 7161 例 30 日死亡率 0.44%
術後の入院日数	合計	6 日（4-8 日）	16 日（12-25 日）
	生存者	6 日（4-8 日）	16 日（12-25 日）
	死亡者	6 日（4-10 日）	10 日（6-20 日）
右半結腸切除		調査数 3 万 1571 例 30 日死亡率 3.47%	調査数 3 万 8740 例 30 日死亡率 1.20%
術後の入院日数	合計	5 日（4-7 日）	14 日（10-20 日）
	生存者	5 日（4-7 日）	14 日（10-20 日）
	死亡者	8 日（5-13 日）	15 日（6.25-22 日）

図3　米国の大規模医療施設と日本の医療施設における、手術後の死亡率と術後在院日数（2015 年に「Medicine」誌発表の宮田他による論文をもとに作成）。

実際、在院日数はどの施術の場合も、日本が軒並み約三倍に達しています。皆保険制度によって、誰もがきちんと入院できるということでもありますが、病院で過ごす時間が長くなる傾向にあるのはまちがいありません。

この長さは果たして適切なのでしょうか。各方面の専門家やさまざまな臨床現場、医療政策の担当者らとディスカッションを重ね、幾つかの観点からデータ分析を行った結果、入院日数については大雑把にいって米国と日本の中間辺りが、医療の質として最善となる傾向を把握することができました。

米国では保険者（payer）からのプレッシャーによって退院が早まる傾向にあり、それにつれて再発・再入院率が高くなってしまいがちです。

逆に日本は在院日数が少々長くなりすぎる傾向があり、「ＡＤＬ（Activities of Daily Living）」と呼ばれる日常生活動作のレベルが下がってしまう。若い人でも三〇日も入院していれば足腰は弱くなりますから、高齢者の場合は、入院をきっかけに歩行が困難になるケースもあります。

日本の患者さんは民間保険で入院費用がカバーされるため、入院期間が長くても本人にとって経済的に大きなマイナスになるケースが少なく、患者さんはそれほど気にしません。

病院側も在院日数削減の努力をしているのですが、ベッドを空けるより埋める方が経営にプラスになるため、制度でカバーできるギリギリまで入院を延ばすようなケースが多くなります。ただ特に後者の費用は税金でまかなわれるため、日本の医療費はトータルで膨れ上がることになります。

最適な在院日数になっていけば、医療の質を改善したうえでコストを大幅に削減できます。ビッグデータを正しく活用して、医療における価値向上を実現していく。これからはあらゆる現場で、こうした「データヘルス」のあり方を常に模索していくべきなのです。

ビッグデータで感染拡大を防ぐ

新型コロナウイルス対策として実施した、ＬＩＮＥ調査もまた、ビッグデータを活用するものでした。その概要や結果分析をここで説明しておきましょう。

私は、心臓外科手術データベース用に、ヘルスケアとデータサイエンスとを結びつける仕事から出発しました。キャリアの当初は医療分野が中心でしたが、近年はウェルビーイングやスマートシティといったあらゆる領域で研究やプロジェクトを展開しています。もちろん、医療政策もその一つです。

ただ、医療のなかでも感染症はいままでの私のキャリアからは遠い分野ではあったので、ダイヤモンド・プリンセス号が取り上げられていたころは、他の仕事をしながら状況を静観していました。

その後の日本のアプローチを見ていると、クラスターを中心に、検査数を絞りながら対策を行っていました。これは、新型コロナウイルスを当初、入院を原則とする指定感染症に設定していたことも一因です。クラスター対策は、感染が小規模な状況下では有効なアプローチなのです。

日本におけるクラスター対策の要である積極的疫学調査は、素晴らしいクオリティですが、紙ベースで行っていたため、ある程度以上の規模になると難しくなるだろうと感じていました。また感染が拡大フェーズに入って、感染経路を追跡できなくなった時に、「把握されている陽性患者」の外側で何が起こっているかを知る必要があります。そのために、すでに広まっているインフラを使って即効性のあるサポートを行い、対策を打つために必要なデータも取れないかと、ＬＩＮＥの方々やクラスター対策班の西浦博教授（現京都大学大学院）らとも話をして、このプロジェクトを実施しようということになりました。

まず、私自身が県顧問を務めている神奈川県を起点にして、三月五日に県のＬＩＮＥ公式アカウント「新型コロナ対策パーソナルサポート（行政）」を開設しました。ＬＩＮＥのアンケートに回答すると、症状に応じて適切なメッセージがユーザーに届く仕組みです。

この取り組みは一定の評価を得て、二五都道府県にまで広がりました。

パーソナルサポートには目的が三つあります。第一には、ユーザーが登録した段階で受けられる個別化した情報提供。チャットボットを通して、現在の体調などの基礎情報、位置情報ログなどのデータを入力すると、個々人に最適化された情報やサポートが受け取れる。自身がハイリスク者か否か、軽症者か重症者か、医療機関受診のタイミングなども教えてくれます。

第二に、症状があった人へのフォローアップです。定期的にメッセージを送り、症状を確認します。病院のパンクを防ぐために、軽症者は自宅でのセルフケアが必要になりますが、このフォローアップによって、体調の変化や周辺の発症状況といった変化を検知し、受診が必要なタイミングを伝えることができます。今後データが集積することで、リアルタイムで重症化の予測をしながら、医療資源の振り分けに使うことも可能かもしれません。

最後に、ＬＩＮＥユーザーのデータを母集団として、自宅待機者やハイリスク群の実態

職業・職種の６グループ

グループ（1）	現状の業務体制では３密回避や社会的距離の確保が難しいと思われる職業・業種（例：比較的長時間の接客を伴う飲食店を含む対人サービス業、外回りをする営業職など）
グループ（2）	業務の中で３密が発生し、社会的距離の確保も困難だが、個人として感染症対策についての専門的知識を有する対人援助職（例：医療職、介護職）
グループ（3）	３密回避や社会的距離対策の一定の導入が進んでいる職業・職種（例：内勤営業（オフィスワーク中心）、流通・物流業システム（卸・小売、運送業等）など）
グループ（4）	通常３密、社会的距離の確保が難しい環境下だが、休校措置などで一定期間対策はなされている（例：教職員、学生・生徒）
グループ（5）	自粛条件下で、個人での３密回避や社会的距離対策が比較的容易（例：専業主ふなど）
グループ（6）	その他（上記以外）

図4　「新型コロナ対策のための全国調査」における、職業・職種の6つのグループ分け。

把握です。陽性患者以外の人を含めて、社会として有効な施策を打てるようになります。今後の予測や対策後に実際にクラスターが解消されたかどうかも分析することができる。この部分を短期的に拡張したのが、国内ユーザー八三〇〇万人を対象にした「新型コロナ対策のための全国調査」です。

全国八三〇〇万人のＬＩＮＥ調査からわかったこと

序章でも一部紹介しましたが、全国調査は、八三〇〇万人のＬＩＮＥユーザーを対象に、三月三一日から五月二日の間に合計四回実施しています（有効回答人数は、平均で約二三〇〇万人）。

では、この調査の分析からどんなことがわかったでしょうか。

第一回の調査では、職業や職種によってリスクが異なることが明確に示されました。調査では、図4のように、職業・職種別に六つのグループに分け、それぞれの発熱リスクを分析しました。

その結果、在宅勤務が実施可能なデスクワークや、専業主ふの方々のグループは、エリアリスクが高くなっても発熱率は横ばいで、平均の半分くらいの発熱率であることがわかりました。つまり、家にいることはリスク回避に相当有効だということがデータによってあらためて可視化されたのです。

一方で、他の職種と比べて人と接触する頻度が高いグループ（1）「長時間の接客を伴う対人サービス業、外回りの営業職」は高い割合でリスクが上昇しています。

ここからは、次のようなことが推測できます。二〇二〇年三月の段階で日本が行っていた自粛は、レジャーや遊びを目的とした外出は控えるものの、仕事はほぼ通常通り行う、というものでした。しかし新型コロナウイルスの感染という局面においては、「3密」回避や社会的距離の確保が難しいグループ（1）のような職種の人々が一生懸命働いてしまうことで、健康リスクにさらされ、感染が広がってしまうのです。

東京の感染者の多い地域に絞って検討すると、こうした職種の人々の発熱の割合は全国平均の五倍近くになっていました。より高いリスクにさらされている方々をリスクから守り、社会全体に感染を広げないようにする対策を行わなければ、今後も流行の波が来るたびに感染拡大や感染爆発を抑えることは難しいわけです。

新型コロナウイルスが浮き彫りにした格差

第一回から三回までの推移から注目すべき点は、オフィスワーク中心で働いている人々のテレワーク実施率です。最初に緊急事態宣言の対象となった関東エリアでは、一〇日の期間の中で倍増に近い割合で増えています。とはいえ、これは強力なロックダウン施策を取ることができなかった日本の限界も示しています。

3密に対する認識も同様に大きく変化しました。ただ注意しなくてはいけないのは、3密の認知は地方も大都市部も同様に向上しましたが（図5）、先述したように、テレワークの導入については両者の間に格差が見られることです（16ページの図1）。コロナショックにより、これまでの日常が変化し新しい時代が到来しつつありますが、格差もまた広げる可能

	第1回 (n=24,011,023)	第2回 (n=24,209,762)	第3回 (n=23,374,019)		第1回 (n=24,011,023)	第2回 (n=24,209,762)	第3回 (n=23,374,019)
県	3月31日−4月1日	4月5−6日	4月12−13日	県	3月31日−4月1日	4月5−6日	4月12−13日
全国˙	28.83	39.64	50.88	三重県	25.75	36.11	45.13
北海道	30.42	37.28	43.32	滋賀県	26.08	36.41	47.35
青森県	23.56	33.34	41.26	京都府	27.69	39.69	50.76
岩手県	21.27	29.27	36.69	大阪府	27.64	38.75	52.32
宮城県	24.66	38.37	47.78	兵庫県	28.43	38.48	51.7
秋田県	22.49	32.15	39.35	奈良県	28.38	39.2	49.65
山形県	21.51	32.96	46.5	和歌山県	26.19	35.51	46.16
福島県	24.25	34.23	44.54	鳥取県	20.54	28.16	38.22
茨城県	29.94	41.32	50.73	島根県	19.79	27.2	38.91
栃木県	28.53	37.91	48.59	岡山県	24.01	33.48	41.84
群馬県	29.66	39.68	49.2	広島県	24	33.56	43.84
埼玉県	31.77	42.39	54.16	山口県	24.98	33.43	43.31
千葉県	31.83	43.23	55	徳島県	25.09	34.43	42.28
東京都	34.9	46.92	59.57	香川県	24	32.65	40.9
神奈川県	33.08	44.17	56.14	愛媛県	25.2	36.34	44.54
新潟県	25.88	34.32	42.2	高知県	25.66	35.13	48.58
富山県	21.45	37.4	47.6	福岡県	25.47	38.51	52.37
石川県	23.64	34.41	47.9	佐賀県	22.49	33.21	42.82
福井県	26.26	42.51	54.06	長崎県	23.29	34.78	42.77
山梨県	31.39	42.2	51.75	熊本県	28.45	39.14	47.45
長野県	25.36	35.19	45.6	大分県	27.27	37.83	45.78
岐阜県	26.93	38.64	50.55	宮崎県	25.26	34.3	44.39
静岡県	25.58	36.5	46.7	鹿児島県	24.98	33.86	41.21
愛知県	25.55	34.97	46.73	沖縄県	19.53	27.97	44.13

図5　3月31日から4月13日にかけての都道府県別「3密」の回避を心がけた人の割合（%）の変化（厚生労働省の第1回－3回「新型コロナ対策のための全国調査」報道発表資料をもとに作成）。

性があるわけです。

五月に行った第四回の調査では、職業種別ごとに、最近二週間以内の心配・不安に関する質問を新たに尋ね、約一八〇〇万人から有効回答を得ることができました。第三回までと比べると、調査回収率が落ちましたが、理由としては、関心と反応率が少し下がったことと、質問項目を多くしたことが起因すると考えられます。ただ、それでも今回質問しなければならなかったのは、緊急事態宣言の中で、人々がどの様な痛みを感じ、どのような格差が生まれているのかを明らかにする必要があったからです。

たとえば、すでにさまざまなメディアで報道されているように、米国の失業率や失業保険の申請数は戦後最悪の数値を記録しています。これはリーマンショックを遥に超える数で、それだけ新型コロナウイルスの影響が甚大なことを物語っています。

一方でロックダウンや行動制限の方法、経済的な保障については、各国で状況が異なっています。新型コロナウイルスとの対峙の中で生じた痛みや格差については、日本は日本の現状のデータに基づいて考えていく必要があります。

まず強調すべきことは、いくつかの業種については、業種の規模を問わず非常に大きな影響を受けていることです。

「収入・雇用に不安を感じている」と答えた人は、タクシードライバーで八二%、理容・美容・エステで七三%、宿泊業・レジャー関連で七一%、飲食業で六六%と大多数となっています。これらの業種については、五〇〇〇人以上の雇用を抱える大企業から中小企業まで関係なく、一律に大きな影響を受けていることがうかがえます。

またこうした雇用、収入面の先行きの厳しさは精神面にも影響を及ぼしています。「毎日のように憂鬱であった」「楽しめていたことが楽しめなくなっている」という抑うつ傾向を示していた人の割合は、いずれの業種においても一〇%前後と、高い割合を示していました。これらの業種で働く人達を、どの様に支えるかは社会にとっても喫緊の課題であると言えます。

業種によって、今後の見通しが異なることにも注意が必要です。緊急事態宣言が解除された後、以前と同様とはいかないまでも、一定の制限で働くことができる職業と、客入りが根本的に変わる職業があります。ドイツでは観光業の三分の二が倒産危機という報道があります。日本でも特にインバウンドに関連した、人の移動に関わるビジネスは、今後も厳しい見通しであり、回復に向けてさまざまな支援が必要とされています。

それ以外の業種においては、「収入や雇用に不安を感じている」という項目に最も大きな影響を及ぼしていたのは事業規模でした。これは、以前からも指摘されていたことです。既に政府も様々なアプローチでサポートを始めていますが、小規模企業の不安の割合は、大企業と比べると、どのカテゴリーにおいても二倍から三倍となっており、こちらも迅速かつ効果的な支援が求められています。

学生たちの高い抑うつ傾向

最後に強調しておかねばならないのは、最も強い抑うつ傾向を示していたのは、学生達であったということです。若年者については新型コロナウイルスにかかっていたとしても比較的軽症であるケースが多く、〝いうことを聞かずに勝手に出歩く〟という文脈で加害者的に扱われることもありました。しかしながらクラスター対策班の分析でも、繁華街の出入りで最も人の出入りが減少していたのは一〇代、二〇代でした。もちろん全員ではありませんが、日本の多くの若者達は適切に自粛をしていたのです。

一方で今回の調査で学生の回答は、「毎日のように憂鬱であった」が一四・四％、「楽しめていたことが楽しめなくなっている」が一三％と全カテゴリーでトップです。大学生に限定するとより顕著になりますが、これは身体面への不安ではありません。発熱者に限定して、同様の質問を行った場合には、学生は一番不安が低くなります（若年層の重症化割合が低いという情報が影響していたと思われます）。

では彼らはなぜ苦しんでいるのでしょうか？　アルバイトができなくなり学費が払えない、生計を立てられない学生が一定数いることが背景の一つにあるでしょう。もう一つは、リーマンショックを超える不況の中で、職を得ることができないかもしれないという不安を抱えていることもあるかもしれません。

いずれにしても、コロナ禍の中で最も辛さを感じている立場の一つが学生たちであり、彼らの未来を守るための対策もまた不可欠であるということです。

三月から長く続いた自粛は、日本の多くの人々に影響を与えました。これから各々の経済活動や社会活動を取り戻していくことも非常に重要です。一方で、こうした状況下で辛い思いをしている人達をどのようにサポートして、一緒に立ち上がるかが、その国の未来の姿を決めるのだと思います。

長期化に対応した働き方のデザインを

ＬＩＮＥ全国調査で明らかなように、新型コロナウイルスの影響は業種ごとに大きく異なります。充分な内部留保がない中小企業の影響は甚大です。市場原理ではコントロールできないこうした点について、サポートや調整を行うことが国家の本来の役割の一つでしょう。

たとえば、飲食業は日本文化の重要な宝です。直近までの日本のインバウンド需要に大きく貢献していたのが魅力的な食文化でした。飲食業が枯れ果ててしまうと、雇用が失われるだけでなく、新型コロナウイルス終息後の世界で立ち上がるための日本文化の力も失われてしまう。飲食だけでなく、そのほかのエンターテインメントなどにも言えることですが、こうした事態は何としても避けなくてはなりません。

私自身は、短期的には休業補償をスピーディに行ってできる限り早く感染拡大を抑えることが重要だと考えています。ただし、休業補償を延々とやり続けるのではなく、新型コロナウイルス下の環境でも、できるだけ早い段階で経済活動を行うためのサポートにシフトすることが重要です。

飲食であればテイクアウト・デリバリーへの移行、3密を避け社会的距離をとるための座席配置やオペレーションの工夫、そういった取り組みを導入するガイドラインや認証制度を設けるのも一案でしょう。

また、公園を開放したり、換気が充分に効くような屋内スペースを行政側が借り上げたりして、イベントや施設の運営といった業態を圧迫させないようにしつつ経済をまわすなど、いろいろな工夫が必要となるでしょう。自前でそういう努力をしているお店も多く出てきています。

学校も、休校中はリスクが抑えられていましたが、通常通りに活動を行うと、3密がさまざまな状況で発生し、リスクが上がることが想定されます。教育分野の方々と話しているのは、この一年はいままで通りの授業ができないことを前提に、活動内容を考えるべきであるということです。遠隔教育をできる限り導入する、登校する曜日を学年やクラスごとに分けながら、密をつくらないように授業をしていくといったことです。

まだワクチンは開発中であり、開発されたとしてもそれが広く行き渡るまでには時間がかかります。そういった状況下でリスクを抑えるためには、あらゆる職種でテクノロジーを活用し、感染症に対応した働き方や過ごし方をデザインしていくことが必要です。

世界では遠隔診断が始まっている

ただ、ここで考えておきたいのは、リモートワークやリモート会議、ＩＣＴを用いた教育の拡充といった課題は、コロナ危機以前からたびたび指摘されていたということです。今回の危機で、そのシフトは一気に加速しました。そして今後は、あらゆる産業で感染症対策を念頭に置かなくてはならない以上、遠隔でのコミュニケーションは日常化していくことになるでしょう。

医療・ヘルスケアの分野でも同様です。ビッグデータを用いた遠隔医療は、コロナ危機への対応とあいまって、今後急速に導入が進んでいくはずです。

二〇二〇年四月一五日に、私が出演したＮＨＫ「クローズアップ現代＋」では、「新型コロナ　ビッグデータで感染拡大を防げ」と題して、先述したＬＩＮＥでの取り組みに加え、私がこの番組のために取材した海外の遠隔医療の事例を紹介しました。

たとえばイギリスでは、病院に行かなくても診断をしてもらえるＡＩ診断アプリ「バビロンヘルス」の導入が急速に進み、取材時では八〇万人が利用していました。病院に行かなくても、スマホやパソコンで簡単な診療が受けられ、国の保険も適用されます。現在では、新型コロナ専用の診断プログラムも追加されています。さらに、アフリカのルワンダでも導入され、二〇〇万人のユーザーがいます。

番組では、次のようなやりとりが紹介されていました。

AIドクター（以下、AI）「症状を教えてください。」
患者「ひどい腹痛です。」
AI「お気の毒に。一緒に原因を突き止めていきましょう。」
AI「（痛みは）断続的ですか？」
患者「断続的で食後にひどくなります。」

こういった症状に関する質問、さらにこれまでの生活習慣や病歴の質問を重ね、AIドクターは次のような診断を下しました。

ＡＩ「いただいた情報から可能性のある病名を突き止めました。おそらく、胃食道逆流症か消化性潰瘍です。早急に医者の受診をお勧めします。」

イギリスでは医療費がほぼ無料のため、これまでは軽い症状の人も病院に駆け込んでいました。そのため予約が困難となり、受診できるまで二週間ほど待たねばならないケースもありました。しかし、最初の診断をＡＩドクターが行えば、治療の優先度が高い人を病院に誘導することができます。

こうしたイギリスの遠隔医療の取り組みは、超高齢化が進み、医療現場への負担増が予想される日本でも大いに参考になるはずです。

データで共創する新しい医療

データを用いた日本の医療の取り組みをもう一つ紹介しましょう。日本病理学会が主導する画像診断プラットフォーム「ＪＰ‐ＡＩＤ」というものがあります。

医療施設では日々、たくさんの患者から病理検体を採取しています。これまではそれぞれの施設で、診断医が検体を見て、判断を下していました。

ＪＰ－ＡＩＤではまず、検体から採取した病理画像データをクラウドネットワークにアップロードします。その一元管理されたデータを、システムに登録した全国の専門医が効率よく割り振り、診断を進めていくのです。データとテクノロジーを介すると、最適な医師が、最短で診ることができ、地域や施設による医療サービスのバラツキをなくして、診断確度を上げられるのです。

クラウドに蓄積された膨大な病理画像は、ＡＩの学習データにも使え、病理診断ＡＩの精度向上にもつながります。

このようなプラットフォームが拡充することで日本の病理医は要らなくなるのかというと、必ずしもそうではありません。そもそも日本では病理医が不足しているため、彼らのなかにはＡＩをチューンナップして、自分の業務の一部を代替してほしいと考えている人も少なくない。また、日本でこうした病理診断ＡＩのプラットフォームが確立すれば、それを海外に展開する道筋も見えてきます。

数年前からある施設が、病理診断の海外展開に取り組んでいましたが、一施設だけではまったく収支があいません。難しい症例ばかりが届くので、臨床の邪魔になっていました。

しかし数十、数百の施設が連携して、ＡＩで効率を高めながら、難しい症例に専門家が診断をつけていくという体制がとれれば、海外へのサポートを展開することも可能でしょう。

特にＡＩをはじめとするプラットフォームを効果的に活用することができれば、スケールメリットが効きます。たとえば途上国にはその成長に見合った額で提供する。薄くとも広く支えることによって、ある程度の額になるかもしれない。一方で先進国に関しては、付加価値をつけた高度なサービスを提供できるかもしれません。

医療や社会システムを日本市場だけで考えると、どんどん縮小してしまいますが、世界と連携すれば、むしろ市場は拡大するはずです。世界を支えることで、日本の未来も開けます。日本の将来を考えると、最先端技術と職人文化が連携しながら、日本だけではなく世界を支えるという視点が重要になってくるでしょう。その先駆けとして、画像診断分野があるのです。

集団平均の医療から、個別化医療へ

データを活用した遠隔診断や遠隔医療は、時間や距離の短縮を図るだけのものではありません。それ以上に重要なことは、これまでの集団平均の医療から、個別化医療へとシフトしていく点にあります。

体温一つとっても、平熱が三五℃の人が風邪をひいて三七℃になれば、フラフラになり十分危険な症状を示しますが、平熱が三七℃近い人もいます。集団間でも違いがあり、高齢者の平熱は低くなる傾向にあります。そのため、危険な状態というのは、個人ごとに違うのです。昨今はゲノム医療が導入されつつありますが、そこにも個別の状況を含めた新しいアプローチが必要になるでしょう。

医療からは離れますが、今後、テクノロジーによる「個別化」を活用したい分野に、介護があると思います。

現在の厚生労働省の要介護認定基準は、どの程度の支援が必要かという観点で定められています（図6）。要介護の度合いが高いほど、介護保険の支給額も多くなっていきます。

もちろん日常生活が困難な人に対しては、それを支える支給が必要なのは当然です。ただ現状の制度では、「要介護2」の人が一生懸命頑張って、「要介護1」、または「要支援」まで改善すると、支給されるお金は少なくなってしまう。これでは努力するインセンティブになりません。

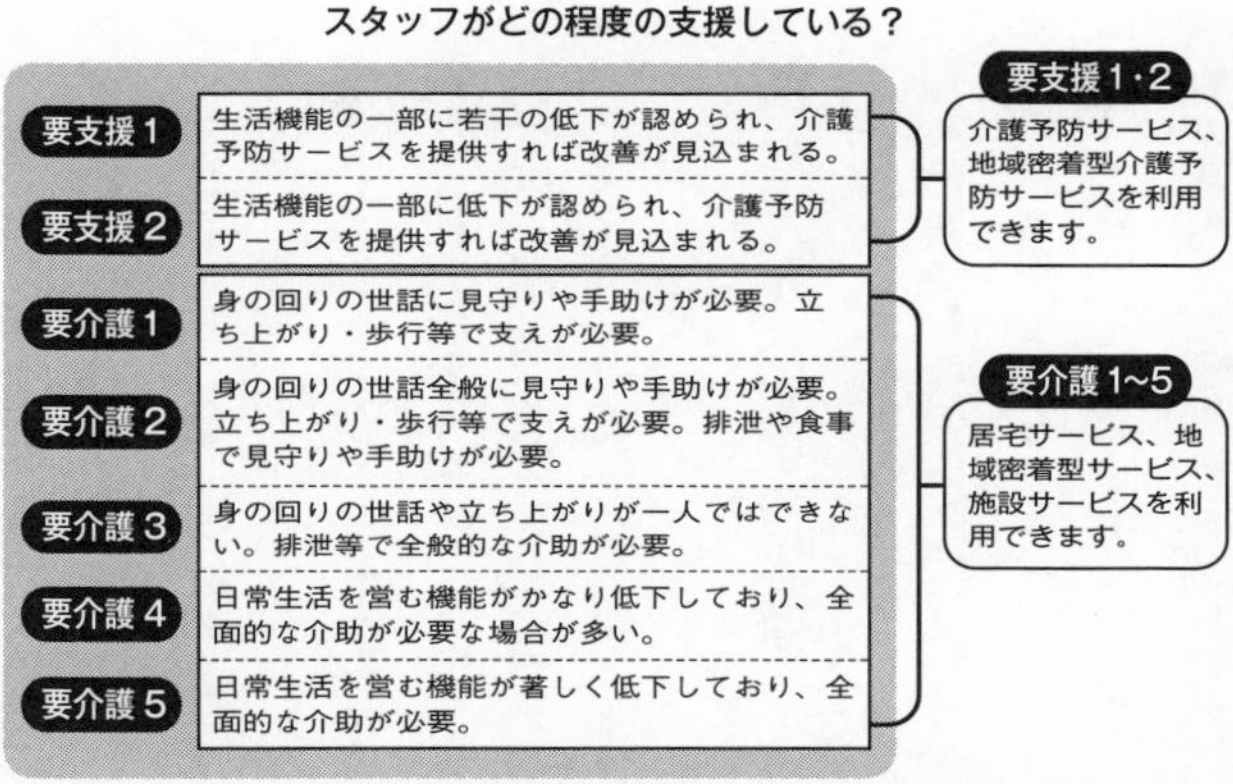

スタッフがどの程度の支援している？

		要支援1・2
要支援1	生活機能の一部に若干の低下が認められ、介護予防サービスを提供すれば改善が見込まれる。	介護予防サービス、地域密着型介護予防サービスを利用できます。
要支援2	生活機能の一部に低下が認められ、介護予防サービスを提供すれば改善が見込まれる。	
要介護1	身の回りの世話に見守りや手助けが必要。立ち上がり・歩行等で支えが必要。	**要介護1～5**
要介護2	身の回りの世話全般に見守りや手助けが必要。立ち上がり・歩行等で支えが必要。排泄や食事で見守りや手助けが必要。	居宅サービス、地域密着型サービス、施設サービスを利用できます。
要介護3	身の回りの世話や立ち上がりが一人ではできない。排泄等で全般的な介助が必要。	
要介護4	日常生活を営む機能がかなり低下しており、全面的な介助が必要な場合が多い。	
要介護5	日常生活を営む機能が著しく低下しており、全面的な介助が必要。	

図6　厚生労働省の要介護認定基準（参照：慶應義塾大学医学部医療政策・管理学教室）。

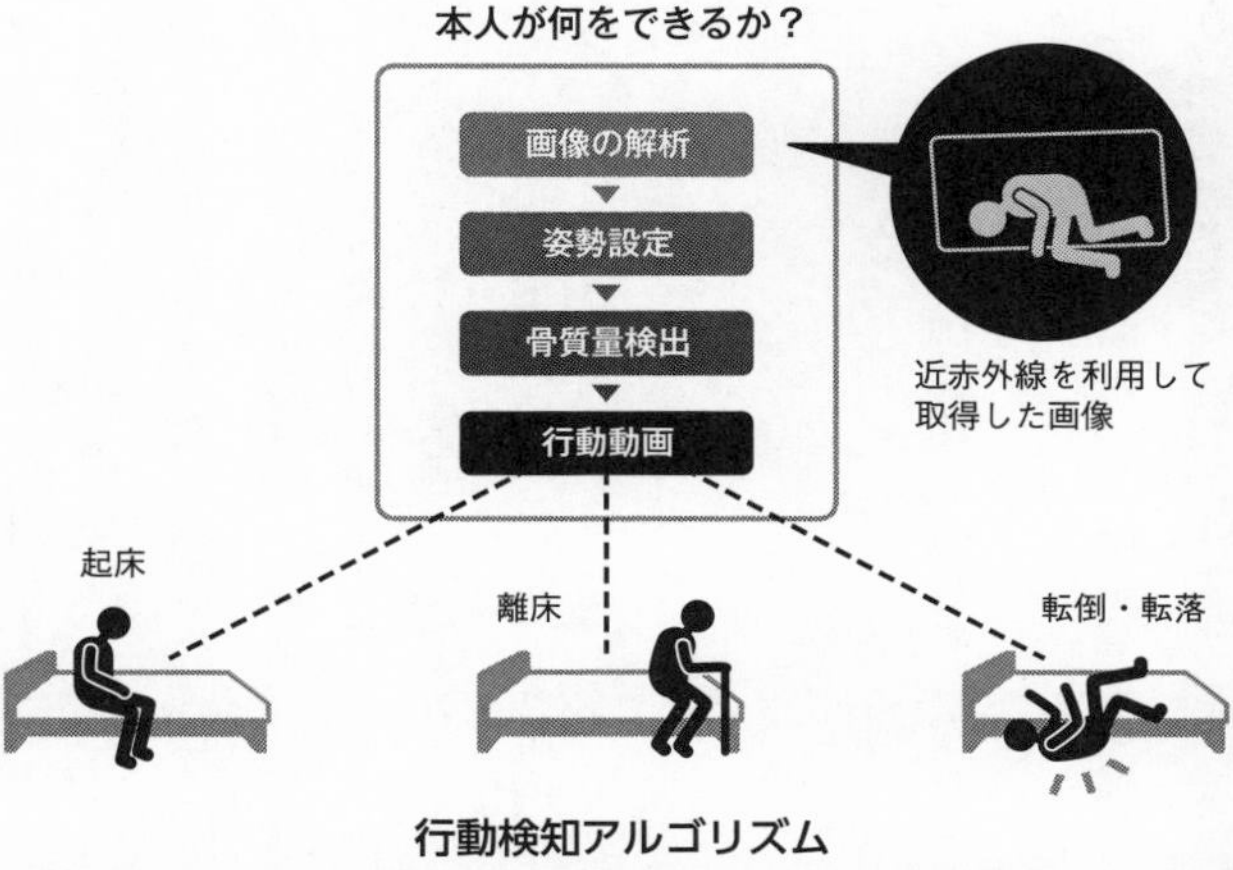

図7　センサーを活用した要支援・要介護の評価システム（参照：慶應義塾大学医学部医療政策・管理学教室）。

そこで、ＩｏＴ（Internet of Things、モノのインターネット）を利用します。ＩｏＴのセンサーを使って、「その人は何ができる人か」という「できること評価」に変えるのです（図7）。すると、評価コストは安くなり、しかも客観的になります。「要介護２」の人の症状が改善し、コストが安くなった分をインセンティブとして本人や介護士へ支給する事も可能です。そうすると、本人も介護士も前向きに改善行動に取り組めます。

技術を被介護者の症状の評価だけに使うのではなく、介護を提供した介護士への評価にもつなげるなど、システムのデザインも含めてＩｏＴを活用することは、介護の質を高め、介護を取り巻く環境そのものを改善することになるわけです。

新しいヘルスケアの価値

個人を軸にしたデータ活用の道をひらくことは、健康の価値観そのものの変容を促すきっかけにもなるでしょう。

これまでは特に公的組織が「健康づくり」を掛け声に、いろいろな施策を実施してきましたが、残念なことに「健康になろう」という掛け声に集うのは全人口の一部です。介護予防教室を開くと、満員盛況になります。しかし、そこに来るのはすでに健康意識が高いシニアの方々です。改善が必要な不健康な行動を取っている人に届く対策は困難でした。

多くの人々にとっては健康とは、人生を幸せに生きるための手段です。八〇歳になって、楽しく、若い人とおしゃべりしていたいのか、あるいは、趣味の山登りを続けたいのか、その二者に必要な「健康」は違います。

前者が求めるのは多様な情報にアンテナを張り、コミュニケーションできる能力であり、後者が求めるのは強靭な足腰です。データ活用によって、自分は何をしたいのか、人生をどう生きたいのかという人々の思いに寄り添っていくことで、一人ひとりが健康の意味を見つけることができるかもしれません。

楽しさの先に健康のスタイルを見いだす「ポケモンＧＯ」はその事例の一つです。ゲームを通して外に出る習慣を身につけるだけでなく、活動量の維持や社会的なつながりの獲得など、楽しさと健康のサポートを両立させる先進的なチャレンジと言えるでしょう。

疾患対策も個人を軸にしたデータ活用によって発展させることが可能です。たとえばＣＯＰＤ（慢性閉塞性肺疾患）については、適切な診断・治療が行われているのは、本来必要としている患者の一割未満であるといわれています。

いままでは「人々はもっとＣＯＰＤを知るべきだ」、あるいは医師に対しては、「再教育の機会を通じて、新しい知見を得るべきだ」という論調で取り組みが行われてきたものの、ギャップはなかなか解決しませんでした。

一方で、検診の場面でその個人を軸にしたデータを活用すれば、医師と患者をつなぎ新たな形で問診をサポートすることができます。このとき、両者にＣＯＰＤに対する十分な知識がなくても、精密検査の実施をナビゲートし、適切な治療の導入をサポートすることが可能となります。

またＣＯＰＤは朝の咳が重要だと言われます。目覚まし時計代わりに使っているスマートスピーカーで、起床後の咳を録音しておけば、本人が自覚していない段階から徴候を発見し、早期にサポートすることができるかもしれません。

症状を自覚し、その後に本人が医療機関にアクセスするようなケースでは、時に手遅れになってしまいます。データを活用することで、より早期に徴候を発見し、適切な治療に導くというような取り組みが有用になります。健康そのものを意識して、健康増進に向けて誰もが同じように取り組む世界に加え、一人ひとりのライフスタイルに寄り添う形で、そっとサポートしていくような仕組みが今後は登場してくるでしょう。

第二章

これからのデータ・ガバナンス
――データは誰のものか

データ活用とプライバシー保護は両立できるか

前章で紹介したＬＩＮＥ全国調査を実施してから、さまざまなメディアの取材を受けました。そのなかで共通して受けた質問が、データ活用とプライバシー保護とのバランスをどのように取るのか、というものです。

ＡＩやビッグデータの普及に伴って、個人のプライバシーをどのように保護するかは大きな論点でしたが、新型コロナウイルス対策のもとで、より喫緊の課題として問われるようになったわけです。

本章では、まず新型コロナウイルス対策に関連したデータ・ガバナンスについて考察し、それをふまえて、後半ではのぞましいプラットフォームやデータ・ガバナンスのあり方を議論してみたいと思います。

まず、ＬＩＮＥの調査では、データがどのように管理されているかを説明しておきましょう。すでに述べたように、新型コロナウイルス対策として、ＬＩＮＥを活用したプロジェクトは二つあります。

一つは都道府県が主体となって一人ひとりのユーザーに対して継続的にサポートしていくというものであり、もう一つが厚生労働省が主体となった全国調査です。

これらのうち、前者の都道府県のデータに関しては、都道府県の管轄です。後者の全国調査に関しては、LINEと厚労省とが協定を結び、LINEから提供されたデータは厚労省が分析します。個人情報保護法に則った取り扱いをすることはもちろんですが、公表されている利用目的を超えた活用はできません。また、一定期間が過ぎたらデータを削除することにもなっています。今回の調査結果は公的な目的以外には使わないということです。

現状日本で使われている携帯電話やスマートフォンの位置情報は、匿名化されたものなので、個人が特定される可能性はかなり減じられています。

一方、海外では個人の行動を追跡する取り組みが多く見られます。

たとえば中国、韓国、台湾では、携帯やスマートフォンのGPSを使って、個人の行動を追跡しています。特に中国では、陽性者が出たら「三日前あなたはこの陽性者と同じ電車に乗っていました。これから隔離します」というような連絡が当局からくるわけです。

他方で、スマートフォンのBluetoothを活用して接触履歴を把握する、シンガポールのような例もあります。シンガポールの場合、データを中央では管理しません。スマートフォンの「すれちがい通信」のような機能で、お互いが誰といつ接触したというような匿名のIDが記録され、それが個々人の端末に入る。そして自分が感染したとわかったら、本人の同意に基づいて、その人が誰かということは特定できない形で、「感染者に接触しましたよ」という情報を接触者に送るようなしくみになっています。

シンガポールのような方法なら、プライバシーを保護しながらお互いを守ることができます。日本では保健所がそうした情報を個別に聞き取り、紙で管理しています。接触したといった情報を活用するとある程度規模が大きくなっても対応することが可能になります。

プライバシー保護の観点からいえば、シンガポールの方法はすぐれています。しかし弱点もあって、全国民のうち最低でも六割、理想的には八割以上が使っていないと効果を発揮しません。現実はどうかというと、シンガポールという都市国家で大統領が導入を促してもカバー率は二〇％程度（二〇二〇年五月時点）で、目標値に届きませんでした。そのような中で感染拡大も発生してしまいました。

このように考えると、GPSを使った方式も、Bluetoothを使った方式もそれぞれにメリットとデメリットがあります。そのため、各国それぞれ、どういうテクノロジーを使うかを議論し、試行錯誤を重ねているのが現実です。

そのなかで注目すべきは台湾の事例かもしれません。台湾では、国民に情報を開示し、信頼を得ながらＧＰＳを用いたアプローチを採用しています。プライバシー情報を使うから危険だと思考停止するのではなく、「どのような条件が整えば活用可能なのか」と、外枠を設けて活用条件を考える。はじめからプライバシー情報の活用を絶対悪とするのではなく、公的な目的に限定して、限られた範囲の情報を、限られた担当者が活用し、情報の活用履歴を検証可能にする。こうした条件を設定するなかで、対策を考える視点も必要でしょう。

米国は企業主導、中国は国家主導

冒頭で述べたように、新型コロナウイルスが発生する以前でも、データ・ガバナンスの問題は大きな論点となっていました。

順を追って説明しましょう。

二〇一八年に閣議決定された未来投資戦略では、二〇一九年の日本のテーマとして、ヘルスケアとモビリティを主軸としたデータ駆動型社会が標榜されています。しかし、データ駆動型社会という観点から見たとき、世界における日本の存在感はそれほど高くありません。国際的な議論の主軸は、米国、EU、中国という三者の取り組みに置かれていました。

米国は、GAFAという言葉に象徴されるように、企業を主軸としたデータ支配が進んでいます。便利な検索や快適な物品購入、人々とのつながり、こうした体験の中で得られたデータが、広告や消費の創出などの価値に変換されています。しかし、そのデータは利用者の手から離れ、時に個人のデータ提供に対する利害が議論される前に、企業としての利益追求のために活用されてしまっています。

こうした企業主導モデルは、市場価値の創出については優位性があります。しかし一方で巨大プラットフォーマーによるデータ覇権主義に陥りがちなモデルが、公共的な側面とバランスをとることは容易ではありません。たとえばアルコール依存症の方の閲覧ページのなかに、アルコールを勧めるような広告が出てしまうような広告テクノロジーは、倫理的に見て問題があります。

中国では、前章でも見たように、特にフィンテックの分野でDXを成功させましたが、コロナ対策の例を見てもわかるように、データがトップダウンで一元的に利用される傾向にあります。これは一歩誤ると、全体主義的な監視社会の成立につながってしまう恐れがあります。

GDPR——二一世紀の基本的人権

こうした中で二〇一八年にEUで施行された一般データ保護規則(General Data Protection Regulation、以下GDPR)は、非常に重要な一石を投じました。

GDPRの第一条に、「本規則は、自然人の基本的権利および自由、ならびに、特に彼らの個人データ保護に対する権利を保護する」とあるように、ここでは、あらゆる市民が、国や企業に提供した個人データをコントロールする権利があることが定められています。

なかでも、データを提供した個人の性格や能力、趣味嗜好、信用力などを予測するプロファイリングに対して異議を唱え、事業者にプロファイリングの中止を請求できる権利や、自動処理だけに基づいて重要な決定をくだされない権利は、先進的な権利として注目すべきものです。

一般的に、GDPRは欧州域内で影響力を強めるGAFAを狙ったルールと思われがちですが、それにとどまるものではありません。個人の「データへのアクセス権」という概念は、二一世紀の基本的な人権となっていくものであり、データ・ガバナンスに大きな変化を促すうえで重要な意味を持っています。

しかしながらGDPRにも課題があります。それは、データをどう流通させるかという具体的なルールやシステムの運用に難点を抱えているということです。

たとえば石油であれば「これは私の油田で、あなたの油田は別のところにある」と、いわゆる排他的所有権にもとづいて、取引が行われます。しかし、序章で述べたように、データは排他的な所有物という観点から考えるだけでは不十分です。一人の患者データから何かを考えるよりも、一〇〇〇人のデータを集めて考える方が、より良いサービスを提供できるからです。

このようにデータは共有財や公共財に近い価値を持っており、そのためのルールが必要なのですが、EUのGDPRではまだデータの共有財的な性格に即した運用は実現していません。むしろ、GDPRの概念は、実質的には、市場によるデータ活用を足止めする方向に働きがちで、積極的にデータを活用する制度にはなっていないのです。

日本のとるべき「第四の道」

この三者の構図を見ると、個人の尊重（EU型）、市場価値の創出（GAFA型）、社会における価値の実現（中国型）と整理できるでしょう。

では、このなかで、日本はどのようなデータ・ガバナンスを模索すべきでしょうか。私は三者の長所をバランス良く導入する「第四の道」があると考えています。

日本のヘルスケア分野でも、「保健医療2035」という厚生労働省と有識者が一緒に作成したビジョンがあります。私もメンバーの一人です。

私たちは、職場や家庭、趣味の集まり、地域社会など、複数のレイヤー（層）で活動しています。このようなさまざまなレイヤーで個人を支えていこうとする「主体的な選択を社会で支える」という理念が「保健医療2035」には掲げられています。

つまり、個人の尊重、市場価値の創出、社会における価値の実現といった長所を、バランス良く導入することで、ボトムアップで、多様かつ多元的な価値を共に創る基盤を構築することが、「第四の道」です。

データはそのための手段です。あらゆる立場の人々がだれも取り残されることなく、その人らしく生きる社会に向けてデータを活用することが重要です。

日本の中長期的な未来を考えたとき、客観的な数字を見れば、縮小化の方向にあることは否定しようのない事実です。現在一・二億人の人口は、二〇五〇年頃には八〇〇〇万〜一億人まで減ることが予測されています。そしてその四割近くが六五歳以上です。

この数字からもわかるように、現状の延長線上で発展を考えることが可能な諸外国と異なり、日本は社会全体の構造を変えないと先がありません。超高齢化、少子化、低い経済成長、人口減少など、数の上では多くがマイナスの方向に向かっている国は世界でもわずかです。

たとえば高齢化問題であれば、北欧をモデルにすればいいのではないかという意見がありますが、日本の現状は北欧より深刻です。共同研究を行っているスウェーデンの研究者たちからは「日本って大変ですね。我々は少子化といっても出生率はそれほど低くなく、人口は移民もあって増えています。高齢化といっても日本ほどではありません。頑張ってください」というコメントをもらったこともあります。

日本の未来は、どこかの地域を手本に後に続くというアプローチではなく、独自に切り開かなければならないのです。

しかし一方で、日本の直面している課題は、「未来の鏡（Mirror of the Future）」と言われており、今後、海外諸国が遅かれ早かれ直面する課題であることも事実です。世界の人々は、いまは他人事としつつも、明日は我が身として、日本の挑戦に注目しています。

このような観点から、個人の価値、市場の価値、社会の価値という三方に加えて、「未来もよし」という視点が日本には必要になります。持続可能な社会といった未来への軸も入れて社会を共創していかなければなりません。

新しいプラットフォーム思想「PeOPLe」

では、第四の道を具体化するうえで、どのような方法が有効でしょうか。

ここでもデータの特性に配慮する必要があります。石油のような消費財と異なり、データは利用してもなくなるものではありません。もちろん活用のタイミングにより価値が変化するデータもありますが、利用した時点で価値が消失するようなケースはそれほど多くはないのです。

一方で、情報漏洩や不正利用などにより信頼が損なわれると、データを集積させる仕組みそのものが崩れ、根こそぎ価値を失うこともあります。継続的にデータを活用するうえでは、データを提供する人々、企業や政府などのステークホルダーの信頼を確保することが重要になります。つまり、データの継続的な利活用にとって、信頼こそが命綱なのです。

日本はいま、この信頼ということを掲げて、データ・ガバナンス戦略を打ち出しています。安倍首相（当時）が、二〇一九年のG20大阪サミットで「Data Free Flow with Trust」、すなわち信頼を伴う自由なデータ流通を提唱したこともその一環です。

ここでは、信頼を高めるデータ・ガバナンスとして、二つのアプローチを説明しましょう。

一つ目のアプローチは、私たちが「PeOPLe（Person-centered Open Platform for Wellbeing）」と呼んでいる、新しいプラットフォームの思想にもとづいて情報基盤を整備する方法です。

PeOPLeとは、「個人を中心としたオープンなプラットフォーム」を意味します。すなわち、データを一企業や国家が独占するのではなく、みなで共有し、共に価値を創り出すためのプラットフォームのことです。

たとえばヘルスケアを考えてみましょう。これまで繰り返し述べてきたように、一人の患者データから診断や治療法を考えるよりも、一〇〇人、一〇〇〇人のデータを集めて考える方が、より個別的な診断や治療を提供できるのがヘルスケアです。

だとすれば、さまざまな企業や医療施設のもつ医療情報をオープンに活用できるにこしたことはありません。

現状、患者・国民の保健医療データは、医療機関（カルテ等）、薬局（調剤録）、自治体（予防接種記録・健診等）や医療保険医療保険者（レセプト・特定健診等）でそれぞれ保有されています。

患者・国民に最適な保健医療サービスを提供し、患者・国民の側も主体的に健康づくりに取り組むためには、保健医療専門職が、患者・国民の既往歴・服薬歴、健診結果、生活記録（ライフログ）など、保健医療サービスを総合的に行うための情報が必要です。しかし、現在分散している保健医療情報を、引き続き各機関の管理・共有や、患者・国民による自主的な管理に委ねながら、一人ひとりの生涯を通じた保健医療情報を本人や家族、サービス提供者が把握することには限界があります。

PeOPLeは、この限界を乗り越えるためのプラットフォームです。

患者・国民一人ひとりに適したサービスを実施するためには、保健医療データの整備も、患者・国民を中心に据えられなければなりません。すなわち、一人ひとりの生涯にわたる保健医療データが整理・統合され、保健医療専門職や行政・医療保険者に共有されると共に、個人もそれを参照し、自分の健康管理に役立てていくことが不可欠になります。これまでの個々の施設主導の囲い込み型の保健医療データから、患者・国民一人ひとりを中心とし、保健医療専門職や行政・医療保険者に共有される保健医療データへの転換を図る必要があるのです。

具体的には、患者・国民の基本情報（性別・年齢など）のほか、疾病の罹患情報や処置・検査・処方履歴、アレルギー歴、健診データなど保健医療に関する基本的な情報が、個々人の年齢などの時間軸に沿った形で記録されれば、これを保健医療専門職が参照し、その人の診断や治療に役立てることができます。

患者・国民を中心に、保健医療情報をどこでも活用できる開かれたプラットフォームができれば、ふだんの暮らしの中での地域医療・介護の情報連携はもちろんのこと、救急搬送時や災害時等にかかりつけ医と異なる医療機関を受診した場合や、本人の意識がない時の保健医療データの共有に力を発揮します。

とりわけ、今後、日本では高齢者の急増など、自身では保健医療情報の管理が難しい人が増えてくることも予想されますから、保健医療情報を共有するインフラが確実に必要となるのです。

こうしたプラットフォームを整備することによって、国民や患者一人ひとりにきめ細かい医療サービスを行うことができると同時に、膨大な保健医療データの把握・分析が可能になれば、疾病や副作用の発生メカニズムや、疾病と介護状態への連関メカニズムなど、さまざまな分析・研究につなげていくこともできるでしょう。

たとえば、研究機関、行政・医療保険者、民間企業は、PeOPLeを基盤にして構築されたデータセットをもとに、保健医療の質の向上、医療資源の最適な配分、医薬品の安全対策、疾患の原因究明、革新的創薬に向けた解決策を探っていくことができます。また、さまざまな健康関連サービスの創出にも役立ちます。

もちろん運用には、用途に応じた条件が課すことを想定しています。たとえば、経済活動を目的としたデータ利用であれば、ユーザーの個別同意を取ることを義務付けるようにする。あるいは、公共的な目的であれば、データ利用者を関係者に制限したうえで、オプトアウト（中止をしたい場合は登録者側が申し出る形式）で活用することもできます。

これまでのデータ・ガバナンスは、個人が特定されず匿名化されればいい、あるいは同意さえ取れればいいなど、柔軟性のない思想に基づいていました。しかし現実には、パンデミックや災害時のように、匿名化だけでは有効な活用ができなかったり、同意を至上命令とするとスピード感が削がれて身動きがとれなかったりする局面もあります。

そこに柔軟性をもたせるためには、誰がどの範囲のデータを使ったのかを後から検証できるようにして、同意なしでも使える条件を定めておけばいいのです。

この構想は、二〇一六年一〇月に開かれた、厚生労働省のＩＣＴ活用推進懇談会で提言されました。私もその委員を務めています。

PeOPLeにおいてとくに重要なのは、その設計思想です。巨大なシステムを作り、そこにデータを吸収していくのではなく、個人を軸にしたデータ運用（people-centered accessibility）、相互運用可能性（interoperability）、データ可搬性（data portability）、安全性（security）などの条件を確保して、異なるシステム間でも連携できるようにすることに、設計思想の肝があります。そうすれば、システム間で協調し、規模を確保することができるからです。

このような考え方は、二〇一九年に提案されたＷＨＯのデジタルヘルスに関連する提言（Global Strategy on Digital Health）でも重視されており、いまやグローバルスタンダードとなっています。

同意なしでもデータ活用が必要なケース

一方で、PeOPLeのようなプラットフォームを構築して、データを利活用するうえでは、現状ではいくつか課題があります。まず、これまでに述べたような原則を共有するプラットフォームの構築や整備には時間がかかります。また、個人の同意を原則とするデータ活用が公共の利益（時には本人の利益）を損なうケースもあります。

この点を解決するために、私が「世界経済フォーラム第四次産業革命日本センター」とともに提案しているのが「社会的合意に基づく公益目的のデータアクセス（Authorized Public Purpose Access）」（以下、ＡＰＰＡ）という概念です。これが二つ目のアプローチになります。

ＡＰＰＡは、公共の利益となるデータ活用を前提に、「その目的がどの程度重大か？」

「誰がそのデータを活用するのか？」「データの提供時における情報粒度はどの程度か？」などの諸条件に基づいて、同意が得られない条件下においても、情報の活用を認めるという考え方です。

どういったときに、ＡＰＰＡのような考え方が必要になるでしょうか。たとえば、二〇一一年に東日本大震災が発生した際、被災地ではプライバシーに対する制約から、担当医ではない医療者は透析患者さんの情報を得ることができませんでした。透析患者さんへのサポートが途切れてしまうと、直ちに本人の命に関わります。

このような状況下では、同意がなくても支援にあたる医療者にデータを提供することは、患者さんにとっても利益がプライバシー保護を上回ります。

また、今回の新型コロナウイルスのように、重大な感染症が発生した場合にも、公共の利益が個々人のプライバシーを上回る場合があります。

二〇一六年一月一日に施行された「がん登録推進法（正式名称：がん登録等の推進に関する法律）」という法律があります。これも公共の利益を優先して、同意なしでも癌の基本情報や予後を登録できるようにするもので、ＡＰＰＡの概念と近しいものです。

ＡＰＰＡの長所は、比較的短い期間の中で実現できることです。ただ「どのような条件を満たした場合に、公共的な目的として正当化されるのか?」という問題に関しては個別の議論が必要です。

たとえば、テロ組織への対策、重大な感染症の情報、薬剤耐性菌の発生など、国をまたいだ危機管理については、APPAの考え方で迅速に情報共有を行うことが有用でしょう。一方で国内の治安維持とプライバシーのバランスについては、中国や米国、EUなどの地域間で考え方に大きな違いがあります。このような場合でも、考え方が近いエリア同士でAPPAを整備し情報共有を行うことは、相互の価値を高めることにつながるでしょう。

PeOPLeやAPPAなど、耳慣れない略称が立て続けに登場したために、理解しづらいかもしれませんが、名前自体は重要ではありません。

あらためてまとめておきましょう。個人の価値、市場の価値、社会の価値、未来課題を実現するという「四方よし」のためには、データを共有財とみなしたうえで、個々人の生き方を支援することに寄与するプラットフォームの設計思想が求められ、ヘルスケアの分野はその先頭に立ってその実現に踏み出していくということです。そして、データを潤滑に流通させるうえでは、「信頼」が決定的に重要になるのです。

本当にデータはつなげられるのか

ここまで読んだ方のなかには、私の提案が「絵に描いた餅」のように感じられる人がいるかもしれません。実際、私の話を聞いて「理想論としてはすばらしいけれど、現実にそんなプラットフォームは難しいだろう」という声もよく耳にします。マイナンバーカードですら、あまり根付いてきませんでした。

しかし医療分野での取り組みは、着実に進んでいます。

医療に関して、厚生労働省には長らく医療のデータがつながらないという問題がありました。

たとえば健康なときには、健康診断のデータとして健康保険組合にデータが貯められます。ただ病気になったり亡くなったりすることの多い老年期になると、仕事を辞めているので国民保険に移ります。健保から国保に移ると、被保険者番号が変わってしまいます。

さらに世帯単位で振られている番号なので、個人を追うことができません。

健保のデータには健康なときのデータだけがあるけれども、その後どうなったかわからない。国保には病気になってからや亡くなる直前のデータしかないので、一体どうしたら健康な状態から病気になるのかがわからず、その結果、病気にならずに生きるための対策も立てられない。

このように、これまでは情報がつながらなかったために、行政が人々の生活をサポートすることができなかったのですが、現在は、厚生労働省のデータヘルス改革推進本部によって、個人を軸にしたデータ活用の整備が進められています。具体的には、これまで世帯ごとに振られていた被保険者番号を個人単位化し、システムの裏側でマイナンバーにひもづけることによって、分散していたデータをつなげていくというものです。

この番号は「新被保番」と呼ばれていますが、新被保番をこれからあらゆる種類のデータベースに入れておいてもらえれば、後でデータをつなげることができます。

個人を軸にデータをつないだ後は、マイナポータルを活用することで、本人が情報を閲覧することができるようになります。

プロセスとしては、まず、健康診断データをマイナポータルに入れていく予定です。健康診断を受けても、前年の数値を覚えている人は少ないものです。今後は健康を考えるうえで、断面的なスナップショットの評価だけでなく、個人差を踏まえた経時的な変化も診断の助けとして活用しやすくなります。最初のステップとして健診データを時系列につなぐだけでも、活用価値は高まります。健診データの先には、レセプト情報や介護データベースといったさまざまな公的データベースを連結し、介護予防の施策や医療・介護のサービス提供体制の研究にも活用していくことが可能です。今後は公的データだけでなく、ＩｏＴから得られるさまざまなライフログ、センシングデータも活用して、人々のサポートに活用していくことも期待できるでしょう。

アプリが「薬」になる時代

データを活用することで、画期的な医療改善が実現した例をご紹介しましょう。二〇一七年にアメリカでは大きなイノベーションが起こりました。それは、がん患者さんが病院で治療した後に医療者がフォローするシステムをつくりあげたのです。

いままでは、退院した後に時間が取れない、忘れてしまう、あるいは自分ががんにもう一度なったことを信じたくないといった理由から、検査を躊躇しているうちにステージ4になってしまうというケースが多く発生していました。これはその人の非を責められるものではありません。誰しもそういう苦しさがあり、世界中で本当に多くの人がこういったアクセスがうまくいかないことによって亡くなっているのです。

米国の研究チームが行ったイノベーションは非常にシンプルです。ＳＮＳや、携帯電話番号を登録してもらって定期的に質問をし、症状が一定以上だったら病院に呼ぶというものです。わずか数十万円から数百万円で導入できるシステムで、退院後の客観的な生存期間を劇的に改善したことが、米国臨床腫瘍学会で発表されています。現在、新薬を生み出すコストは約一五〇〇億円以上ともいわれています。それと比べると、このアプリは治験のコストを含めても桁違いに少ない開発コストで価値を生み出すことができた事例です。

さらに米国食品医薬品局（ＦＤＡ）は、創薬の概念のアップデートに向けて大きくアクセルを踏み込みました。それはいままでの薬のイメージである、口から錠剤を飲んで生化学的に作用させるという常識を覆すものです。すなわち、スマートフォンを使って患者さんをサポートして、その結果、使用者の健康状態が改善すれば、アプリを「薬」として認めることにしたのです。最初に認可された治療アプリは、ドラッグ依存からの離脱をサポートするものでした。

このアプリについても、私は「クローズアップ現代＋」で取材をしました。

依存症の治療には、長期間にわたってきめ細かい観察やコミュニケーションが必要とされます。このアプリは、それを遠隔で効率的に進めるものです。患者はアプリを使って毎日、怒りや孤独感など、自分の感情を数値で入力します。データはリアルタイムで集計され、医師は離れていても患者の状態を常に把握できるのです。

私が取材した臨床医は、「このアプリのおかげで、途中で治療をやめてしまう患者が減りました。確実に効果を上げています」と語っていました。

これらの事例からもわかるように、いま「創薬」や「治療」という概念にも大きな変化が訪れています。当然、そこに参入してくる企業も、既存のヘルスケア企業だけにとどまりません。

アメリカの治療アプリ承認プロセスの検討には、製薬企業だけでなくアップルやフィットビット（Fitbit）といった企業も参画しています。二〇一九年一月、アップル最高経営責任者（CEO）のティム・クック氏は、「今後アップルが人類にもたらす最大の貢献は健康ということになるだろう」と述べ、ヘルスケア分野でのビジネスへのさらなる参入を高らかに宣言しました。グーグルやアマゾンも同様であり、これからますますヘルスケア企業の転換が進んでいくことが見込まれます。

本章では、データを共有財と捉え、そこから共有価値を生み出すためのプラットフォーム思想とその具体的な実践についてお話ししてきました。

データを共有財として捉えることによって、おそらく既存の経済システムも大きな変化を迫られることになるでしょう。そこで次章では、データ経済という側面に焦点を絞って、データ駆動型社会が経済システムにどのような影響を与えるのかという問題を考察してみたいと思います。

対談×山本龍彦
データ共有権は、これからの基本的人権？

山本龍彦（やまもと・たつひこ）一九七六年生まれ。専門は憲法学。慶應義塾大学法科大学院教授。慶應義塾大学グローバルリサーチインスティテュート（ＫＧＲＩ）副所長。著書に『おそろしいビッグデータ』（朝日新書）『プライバシーの権利を考える』（信山社）、編著に『ＡＩと憲法』（日本経済新聞出版社）など。

本章では、私のこれまでの実践をふまえて、望ましいデータ・ガバナンスのあり方について考察してきました。その根本には、データを所有財ではなく共有財として捉えるという価値転換があります。

しかしその一方で、配慮を欠いたビッグデータの利用に対しては、さまざまな批判が寄せられているのも事実です。なかでも憲法学者の山本龍彦先生は、

『AIと憲法』（編著）、『おそろしいビッグデータ』などの著作で、AIによるプロファイリングは、そのプロセスがブラックボックス化しやすいため、「個人の尊重」という憲法理念と衝突することを問題視しています。

では、こうした課題を乗り越えるためにはどうすればいいか。山本先生は、憲法理念に照らして、ビッグデータの利活用に一定の制約を設ける必要があることを主張しています。

その先鞭をつけたのが、本章でも紹介したEUのGDPRです。本章では、GDPRの理念を高く評価したうえで、データを積極的に活用する制度設計になっていないことを指摘しましたが、この点について、さらに詳しく掘り下げる必要を感じ、山本先生に対談をお願いしました。

データを共有財として活用するためにも、法的な観点は不可欠です。山本先生も私も、個人の生き方を尊重するためにこそデータが活用されるべきである、という点では意見を共にしています。それをふまえて、個人の尊重とデータ活用を両立させるためにはどうすればいいか。現在のプラットフォームにはどのような課題があるのか。多岐にわたる論点について意見を交換することができました。

ヨーロッパのGDPRはGAFA対策か？

宮田 山本先生は憲法学という立場から、ビッグデータやAI社会が抱える問題点について、積極的に発言されています。特にビッグデータにもとづいて、特定個人の特性を予測するプロファイリングが差別や排除を助長してしまうことを危惧し、プライバシー権の重要性を強調されている。そこでこの対談では、先生の憲法学的な知見をうかがいながら、より望ましいデータ・ガバナンスのあり方について議論できればと思います。

最初にお聞きしたいのは、ヨーロッパのGDPR（一般データ保護規則）についてです。私もGDPRの理念はすばらしいと思いますし、個人のデータへのアクセス権は、二一世紀の基本的人権といってもいい重要な権利だと考えています。ところが一般には「あれはGAFA対策だろう」という見方をされてしまうことも少なくありません。つまり、巨大プラットフォーマーに足枷をはめるための方便にすぎないのだと。こういう見方に関して、先生はどのようにお考えですか。

山本　ＧＤＰＲが成立するプロセスを見れば、それが誤解であることがよくわかります。ＧＤＰＲは、一九九五年に採択されたＥＵデータ保護指令を前身としています。一九九五年ですから、ネットの使用率はそんなに高くない。ＧＡＦＡなどという言葉が聞かれないこの時期に、すでにＥＵは個人データの厳格な保護を要請する指令を出しているわけです。

ややや法律的なお話をすると、ＥＵの「指令（Directive）」というのは、加盟国に直接適用されず、その内容を加盟国が国内法化しなければなりません。その実現方法については、各国の裁量が広く認められているわけですね。ですから、各国がバラバラの立法をしてしまい、ルールのハーモナイゼーションがＥＵの域内で維持されないという問題が生じます。一九九五年のデータ保護「指令」にも、そういう問題がありました。ＧＤＰＲは、このハーモナイゼーションを実現するために策定されたものなんです。ＧＤＰＲの正式名称は、General Data Protection Regulationですが、この「規則（Regulation）」は「指令」と違って、全加盟国に直接適用されます。ですから、各国でバラバラの立法がつくられるということがなくなるんです。ＧＤＰＲが策定された主な動機は、ＥＵ域内のハーモナイゼーションにあって、ＧＡＦＡ対策ではありません。

より重要な点を申し上げると、ＧＤＰＲを貫く権利概念に、自分の情報の開示や利用については自分で決定できるという「情報自己決定権（the right to informational self-determination）」があります。日本でいう自己情報コントロール権に似た考え方です。この権利は、憲法から導かれる基本的人権として、ドイツの連邦憲法裁判所で一九八三年に承認されます。「一九八三年」ですから、もちろんＧＡＦＡは存在していません。

ドイツは個人情報の濫用について負の歴史をもっています。ナチスドイツが、民間ＩＴ企業が提供したパンチカード機器「ホレリス」を使って、国勢調査データからユダヤ人登録簿を作成した。つまり、個人情報がユダヤ人選別に使われ、人間の尊厳を奪った歴史があるわけです。このトラウマから、かなり早い時期に、情報自己決定権が憲法上の権利として認められていた。ＥＵの本拠地であるブリュッセルで、ＥＵの高官から、ＧＤＰＲのＧはGerman のＧだ、という冗談を聞いたことがありますが、このドイツの考えがＧＤＰＲに流れ込んでいったんですね。

GDPRはGAFA対策だ、と単純に言い切る人は、データ保護に関するヨーロッパの歴史、人権史をまったく理解していないということになります。

もう一点、GDPRでしばしば誤解されているのは、それがデータに関する権利を所有権として位置づけているのではないか、というものです。自分のデータを「コントロールできる」というと、何となく、所有権のように、個人がデータを全面的・排他的に支配できると誤解されてしまう。しかし、仮に所有権的に捉えるとしても、ヨーロッパの憲法秩序では、所有権は「公共的なるもの」と調整されるという発想が強く、「全面的・排他的な支配」にはダイレクトにつながりません。たとえばドイツでは、まちづくりのために土地の所有権はかなり厳しく制限されます。日本のほうがむしろ所有権の権利性は強く認められている。ヨーロッパでは、所有権は環境のために犠牲になるもので、公共的利益と調整されるものとして捉えられています。

ただ、そもそもヨーロッパでは、データに関する権利は、所有権ではなく、人格権として捉えられる傾向が強いです。

データは「私だけのもの」というのではなく、人間関係の形成に関する関係的な権利として捉えられる側面がある。たとえば、情報自己決定権や自己情報コントロール権は、誰に何を見せるか、誰とどのような情報を共有・シェアするのか自ら決定する権利として言いかえることができます。要するに、この権利は、誰とどの程度つながりたいか、どのようなネットワークとどの程度つながりたいか、という関係性構築のための、他者とのディスタンスを調整するための人格権的な権利として位置づけられるわけなんです。GDPRを誤解なく受け止めるには、権利の性格に関する正しい理解も重要だと思います。

それから憲法との関わりでいうと、GDPRは、「EU憲法」とも称されているEU基本権憲章とリンクしているという点も重要です。このEU憲法には、データ保護の権利が基本的人権として明確に規定されている。この基本的人権を具体化するものとしてGDPRが位置づけられているのです。日本では、データ保護が憲法や基本的人権と関連するという意識はまだまだ低いですが、これは反省的に捉えなければなりません。アメリカでも、州のレベルで、さまざまなデータ保護立法が生まれるなかで、「データ保護＝基本的人権」、「データに関する自己決定＝基本的人権」と捉える動きが出てきています。アップルやマイクロソフトのホームページを見ると、既にそのように宣言されている。

「同意至上主義」と「自己決定至上主義」

宮田　次にデータの自己コントロールをどう考えるかという点について、ディスカッションさせてください。たとえばデータをよりグローバルに運用することを考えた場合、個人の自己コントロールと、データの公共的な活用ということをどう連動させて、バランスをとるのかが大きな課題になると思います。

今後、時代がデータ駆動型社会へと移行することはまちがいありません。そのときには、いままでのようにモノの所有のみで豊かさを測ることは時代遅れになるでしょう。所有だけではなく、共有の中から人々が価値を共に創ることが重要になる。時代はそういう転換点にさしかかっています。この所有から共有へという転換を考えるうえでも、自己コントロールと公共的な価値の連動をどのように実現していくかということが問われてくるのではないでしょうか。

山本　そうですね。ただ、情報の「共有」を強制すれば、それはコミュニズムの世界にラディカルに足を踏み入れることになります。共有という概念は、データ駆動型社会では確かに鍵概念になると思いますが、誰と何を共有するかの究極的な決定権は、やはり個人に留保しておくべきでしょうね。自分に関するどの程度の情報をどのプラットフォームと共有・シェアするかを個人が適宜決定・選択しながら生きていく、という発想はなお重要だと思います。ただ、匿名加工情報など、個人特定性のない非個人情報は、個人に権利性がそもそもありませんので、徹底的に共有して公共のために使い倒すべきです。また、公衆衛生など、公共のために利用する必要性が高い場合には、他者との共有が強制されるということも、もちろんありうるでしょう。

私が最近気になっているのは、データに関する個人の権利を認めることは、なんでもかんでも個人の同意を必要とするという同意至上主義に直結するのだ、という俗説の存在です。すべてのデータ利用に同意を求めるということは、データ駆動型社会ではそもそも不可能ですし、それを無理やり推し進めようとすると「同意疲れ」を生み、かえって自己決定の質を落とします。自己決定を重視する考えは、同意至上主義とイコールではありません。同意至上主義と自己決定至上主義は分けて考えるべきです。ＧＤＰＲでも、同意というのはデータを処理するための正当化要件の一つにすぎません。ＧＤＰＲも同意至上主義ではないわけですね。私自身も、データを運用するうえで、本人の同意にすべてを頼るのはまったく筋が悪い方向の議論だと思っています。ただ、自己決定を尊重していくこと。これは重要です。

宮田　その通りです。

山本　重要なのは、同意の取得機会を形式的に増やすことではなく、誰とデータ共有するかに関する自己決定権の行使をどういうふうに実効的なものにしていくのか。そのためのアーキテクチャをどのように構築していくかだと思います。

たとえば個人の意思決定をサポートするＡＩエージェントのようなものは、自己決定を支援していく存在とポジティブに考えることができるわけですよね。本人に代わって情報を管理するという情報銀行も、こうした発想に近い。個々の同意を情報銀行にアウトソーシングしながら、最終的に情報の手綱を本人が握っていることで、自己決定権は本人に留保される。同意主義を相対化させながら、真の自己決定を実現していく。こういった方向でデータ・ガバナンスを捉えるべきです。

かつて、消費者法が発展していくプロセスのなかで、十分に自己決定できない「弱い個人」という個人像が出てきました。常に理性的に自己決定できる強い個人と対比する形で、弱い個人＝消費者が想定され、その決定を支援する目的で消費者法制が構築されてくるわけです。

ただ、ここで「自己決定」というモデル自体が取って代わられたわけではない。自己決定を規範的な理念として維持しつつ、それをどういうふうに支援するかという方向で議論が進んだわけですね。データ駆動型社会にも同じような発想が必要です。先ほど軽く触れましたが、自己決定というコンセプトそれ自体を放棄した場合、個人が尊重されない全体主義へと向かう危険があるからです。人権概念を抽象化して、個人の自己決定から遊離させてしまうと、「幸福」を掲げるパターナリスティックな全体主義がしのびよることになりかねない。中国を考えるとそういうふうに思うんですね。

宮田　自己決定を支援するという場合、本人が直接的には自己決定できないケースや、本人による現在の自己決定が必ずしも未来の自分にとっていい選択になるとは限らないケースもあります。特に医療の場合は、そういうことがけっこうあります。そのときに、データ・ガバナンスをどう考えるかも大きな課題です。

山本　たとえばある年齢で認知症になり、判断能力を失った人については、個人のAIエージェントが、過去のデータから、「この人がいま健康だったら、どういう判断をするんだろう」と予測することは考えられますね。もちろん、そこにマーケティングの要素や社会保障費抑制といった第三者の利益が混入してしまうと、AIの予測が歪められ、「他者決定」になってしまう危険性もあります。そうならないよう、アルゴリズムの公正さが担保される限りで、本人の「分身」であるAIエージェントが本人の「自己決定」を再現するという使い方はあっていいと思います。

遺産相続についても同様の議論があります。アメリカでは、法適用のパーソナライズ化が議論されていて、今までは、遺言を残していれば基本的に遺産はその意思どおりに配分されるのですが、遺言を残していない場合は法律で一般的に決められた配分になってしまう。それだと、亡くなった人の人生や生前の人間関係を正確に反映できないケースが生じてしまう。「本当はこの人にあげたかっただろうに。この人にはあげたくなかっただろうに」と思うような場合でも、一般的な法定相続分になってしまう。そういうときに、AIエージェントを使って、この人が生きていれば行なっていたであろう自己決定を再現するということはありうる。ですから、アメリカでは、法定相続に関する一般的な規定はもういらないのではないか、という議論さえ出てきています。

そういう意味で、自己決定という理念と、AIエージェントによる決定の「代行」は矛盾せず両立するものだと思います。アルゴリズムが操作され、他者の利益を実現する「他者決定」になる危険には最大限の注意が必要ですが、直接決定できない個人に関して、ベターな解を示してしてくれる可能性もあるのではないでしょうか。

宮田　全面的に同意します。子供もそうですよね。現在の社会では、自己判断が可能になるまでは、親や子供を庇護する人の同意が判断の肩代わりをするわけです。たとえば、重い病気になってしまった子供がどういう治療を選択するのかは親が判断する。でも、AIエージェントが未来の本人にとってベターな選択肢を示すことによって、子供の自己決定を支援するという方法も考えられます。

どのようにデータを公共圏につなげるべきか

山本　データ駆動型社会では、自己決定の問題に加えて、データを介したコミュニケーションを公共圏にどうつなげていくかという課題があります。ニュースポータルやSNSでは、データから個人の属性がプロファイリングされ、その属性に合った情報のみが選択的に送られる「フィルターバブル」という状況が起きている。それぞれがパーソナライズ化された泡・バブルの中に閉じ込められているわけですね。それは、本人にとっては、自分に合った情報に囲まれるわけで、非常に快適だったりするわけですが、他者との分断が加速し、公共的な言論空間が形成されない可能性がある。

宮田　フィルターバブルは、自分が気持ち良いものの中でぐるぐる回ってしまうわけですよね。アラブの春が起こったとき、多くの人が「これで世界は変わるかも」と思ったけれども、実際にはその後、各エリアが言葉で閉じていってしまいました。その一例としては、言葉が通じる中での最大公約数的な理念であるナシヨナリズムが高揚して、世界各地で右傾化が起き排斥が進んでしまうことになった。

山本　海外のプラットフォームでは取り組みが始まっています。ポリティカル・ランダム・アルゴリズムなど、政治的な意見やニュースをバランスよくフィードするアルゴリズムも開発されつつある。どうすれば健全な言論空間、公共圏が構築されるかが真剣に模索され始めています。日本のプラットフォームは、そういった意識がまだちょっと希薄な気がしますね。マッチングをかけて、その人の好みに合ったニュースを送り、ページビューを稼げばそれだけ儲かりますからね。表現の自由の文化の違いなのか、少し安易に考えている節があります。

宮田　その通りですね。日本の企業はＩＴを「つなぐ技術」と表現することが多い。日本だと、つなぎさえすればコミュニティは成立するという暗黙の期待値がある。でも、グーグルにせよアマゾンにせよ、アメリカは人種のるつぼで、つなぐだけでは物事の価値は作れない。だからデザインで価値を作ってきたんですね。

たとえばグーグルであれば、信頼性のある検索体系です。もともとグーグルの検索は学術論文のインデックスから着想を得ています。つまり、多くの本に参照されている論文が信頼度が高いというところから発想して、信頼できる情報にアクセスできる体験をデザインしているわけです。あるいはアマゾンは、これを買っている人はあれも買っているということを信頼できる消費体験としてデザインしている。

こういうデザインが生み出していく価値の部分が日本では手薄になりがちです。つなげれば価値が生まれると期待してしまうんですね。でもこれからは、トラスト・バイ・デザイン、つまりデザインで信頼性をつくっていくという発想が非常に重要になってくると思います。

山本　まったく同感です。プライバシー・バイ・デザインだけじゃなくて、「デモクラシー・バイ・デザイン」が世界的には検討されるようになってきている。日本もそこはもっと気にしたほうがいい。もちろん、「デザイン」は、恣意的になると悪しきナッジ、心理操作につながりますので細心の注意が必要ですが。

「共有価値」をどうデザインしていくか

宮田　私は「デザインによる共有価値」は多元的であるべきだと思っています。信用だけでなく、環境や教育、食、健康など多様な価値の軸があります。

山本　価値の尺度が多様に存在しているというイメージですね。それは全体主義化を回避するうえでとても重要です。

宮田　そうですね。その尺度も、それぞれのコミュニティやエリアで議論をしながら考えていくのがいいと思います。

山本　なるほど。価値尺度をつくるプロセスも民主的に決めてオープンにしていく。価値は上から決めるのでも、プラットフォームのＣＥＯが決めるのでもなく、「わたしたち」の集合的な自己決定により決めていくということですね。

宮田　そういうことです。そのときに、自己決定のような憲法的な価値が重要になってくると思います。個々それぞれのいのちが輝くような仕組みというんでしょうか。それがもう少し強固な仕組みになると、社会制度になっていくかもしれません。

すでにコペンハーゲンなどでは、参加型コミュニティを活用した都市づくりに取り組んでいますが、私たちも多元的な軸でデータを活用することにより、人々がより豊かに生きる場を考えていきたいわけです。根本的な価値としては「持続可能な共有価値（Sustainable Shared Values）」と名前をつけていますが、このような理念を軸にしながら、自分たちが何を大切にして生きていきたいのかということを響き合わせていく。そういった自己決定から新しい社会システムを構想していくような取り組みを積み重ねていかないといけません。

山本　現在のソーシャルメディアは、「いいね」の数で競い合うような、ベタなポピュリズムの世界になってしまっています。クリック数しか尺度がないわけですよ。そうではなくて、自分たちで指標を作り、それを透明化していくという民主的なプロセスは本当に重要だと思います。

宮田　私は大学時代に法哲学や憲法学のゼミに出ていて、そのときに「クオリティ・オブ・コミュニケーションズ」ということを考えたんですね。ただ、クオリティを可視化できないと説得力がない。その点で、医療は様々な価値、クオリティが既にデータによって可視化されていました。お金より優先されるコミュニケーションの価値についての科学的な蓄積があり、しかも可視化され共有されている。

共有価値という理念を考えたときに、コロナ後の世界で健康やウェルビーングはより重要な概念になるでしょう。環境への貢献、自由やダイバーシティももちろん大事です。どれも並列的に取り組むべきだと思いますが、自分の健康や充実した生き方というのは多くの人が実感しやすい。ですから、そういった分野での共有価値を高められる活動が、個人からの承認も得られやすくなる。実際、アマゾンやグーグル、アップルが、ヘルスに軸を置きつつあるのは、ビジネスとしての大きさだけではなくて、信頼を訴求できる可能性という側面もあるかもしれませんね。

山本　なるほど。医療に比べると、表現の評価は難しいですね。ただ、今のプラットフォームを見ると芸がない。とにかくユーザーのアテンションを引いてクリックさせる。ある報道機関では、クリック数やサブスクリプションの契約数の変化が秒単位で表示されて、全社員がそれを見て一喜一憂する。アテンション・エコノミーを地で行ってしまっているわけです。ジャーナリズムの精神はどこへ行ったのだろうかと。表現に関する別のかたちの評価軸、共有価値を持たなければ、民主主義の死は近いです。

宮田　「いいね」も本来は善意のデザインでした。でもやってみると、コミュニティが人気投票のような場に傾いてしまった。「いいね」集めのために投稿者がプレッシャーを感じ、裾野を殺してしまうんですね。裾野のあるコミュニティを担保するうえで、信頼や自由をどうデザインしていくか。運営者たちもそこに頭を悩ませています。

山本　おそらくこの何年間かは望ましいアーキテクチャを探っていく期間になるだろうと思います。日本も価値尺度の民主的な構築を進めていくべきです。

各人の生き方の背中を押すために、ビッグデータを使うということ

山本　宮田先生は、アメリカの法学者キャス・サンスティーンが推奨しているナッジについてはどういうスタンスですか。読者のために説明しておくと、ナッジ

とは、選択肢の並べ方などを人為的に操作・デザインすることで、人々が合理的な選択をするよう後押しすることをいいます。ビッフェで、人が手に取りやすい場所に健康によいサラダを置く、というのがナッジの典型です。行動経済学の概念ですね。

宮田 大前提として、私はサンスティーンほど人々のことを操作するべき存在だとは思っていません。ナッジが前提とするのは、人間は自分たちが思うほど合理的ではないという人間像ですよね。人は、短期的な利益を優先するから、長期的には自分にとって望ましくない選択肢にも手を伸ばしてしまう。それでは困るから、選択肢の並べ方を操作して、個人にとっても社会にとっても望ましい選択に誘導しましょう、というのがナッジの基本的な発想です。

たしかにサンスティーンが指摘するように、経済学が前提とする合理的な人間像は、現実的ではない。いついかなる時も合理的な判断をして経済活動をする人間像は、たとえば医療にはまったく当てはまらないんですよ。「健康になりましょう！」と、みんなのためになるようなことを推奨したとしても、人口の一〇％か二〇％しか同意は得られないんですね。つまり、四六時中、健康目的で生きている人なんてほとんどいないんです。

でも八〇歳になったときに、自分は山登りを楽しみたいとか、若い人と一緒に楽しくおしゃべりをしたいとかいった目的が生まれると、それを実現する手段が健康だったりするわけです。だから直接、健康を目的としたアクションはしないけれども、好きなことに結びつけて背中を押す。そういうことが望ましいナッジだと思うんです。

ところがいまナッジというと、形式的な自由だけを担保して、実際にはパターナリズムになっているわけですよね。人が気づかないうちに塩分をなくすとか、ペットボトルのサイズを小さくするとか、いろいろな試みがありますが、どれも「これがいいに決まっている」ということが先行している感じがします。つまり矮小化したナッジになってしまっているんです。

私自身は「生きることを再発明」するという点からナッジも考えたいんですね。各人が魅力的な生き方を追求するなかで自然に健康になることができたり、格差があってもそれが人生の障害にならないようにしたりする。たとえばいままでは、みんななんとなくサプリメントを飲んでいるだけで、何が欠乏してどう効くかまでわかっている人は少ないと思うんです。でも尿検査をすれば、自分に何が不足しているかがわかる。そういったデータから、オーダーメイドでサプリメントを作って送るといったことはできますよね。

食事も同様で、データを使って、個々人に応じて、長く楽しく健康でいられるような食事を提供することができる。長距離を移動して胃もたれしている人に出すものと、運動した直後の人、糖尿病を持っている人など、一人ひとり必要な栄養や求める食感は違うはずですからね。

山本　いま提案いただいたようなデータの活用なら、憲法的な価値とも齟齬はないように感じました。たとえば、自分は八〇歳でもまだ登山したいという目的を決めておくわけですよね。その目的から逆算して、いま何をするべきかということをAIエージェントが判断して、それに最適なサプリメントが提案される。各人の人生の目的に合わせてナッジされる内容が変わってくる。これは個人の尊重や自己決定権の実現に資するように思います。

憲法的にすごく厄介なのは、政府が「望ましい人生」を規格化し、それに基づいてナッジしてしまうことです。それは健康ファシズムになってしまう。政府の考える「健康」の定義と自分自身が考える「健康」の定義がずれたときに、後者が優先されるようなアーキテクチャの組み方が重要ですね。

宮田 ラフな読みですけども、その人の楽しさに寄り添うだけで、政府が得できる部分はすごくあるんです。だから当面は、win-winでいけると思います。ただ、社会保障費が非常に絞られるような状況では、政府の役割はベーシックミニマムなところで終わって、あとは自分がどういうエージェントやコミュニティにデータを渡すかという選択になってくるんじゃないでしょうか。

望ましいデータ・ガバナンス

山本 「所有モデルの経済から共有価値の経済へのシフト」という宮田先生の問題提起は非常に魅力的だと感じます。その場合、価値の源泉になるのはデータですよね。「データをたくさん提供すると幸せな人生を送れる」、逆に、「データを提供しないと幸せな人生が送れない」ということになると、プライバシーの問題が出てきます。たとえば、どんどんデータを提供して、プライバシーを売れば売るほど、信用スコアが上がり、家を借りられたり、車を借りられたりする。あるところまではそれでよいと思うのですが、そのときに信用の根拠とすべきもの、別の言い方をすれば、信用の根拠とすべきではないものは何か。この点についてでは慎重な議論をしておく必要があると思います。究極的には、信用スコアを算定するために、生来的・遺伝的な情報まで求められる可能性もあります。たとえば、採用する側が「こいつは仕事上使える人間か」をサジェストする予測モデルをつくるときに、学生のときに何を努力してきたかという部分よりも、生来的にどのような特性をもっているかに注目する可能性がないわけではない。そうなってくると、自分の努力によって修正・変更できない属性で人生が規定された封建的身分制の時代や遺伝的な優生思想が強かった時代に逆行していってしまうという危惧があります。このあたりはどのようにお考えですか。

宮田　まず、一元的な価値軸の中でデータのやりとりが行われると、都合のいいように支配されるリスクがあるわけですよね。それでは山本先生が危惧するように、プライバシーを売れば売るほど有利になるような仕組みになりかねません。

そうしないためには、サービスが複数あって、個人が自分のデータをどこに預けるかという選択権を持たなければいけない。逆にデータを集める側は、それを活用したサービスの質を競う中で、プライバシーを投げ売りさせるのではなく、個人の自己決定を尊重するようなデータ運用になっていくんじゃないでしょうか。

山本　プラットフォーム間で競争があり、アルゴリズムの多元性が確保されることが前提になるんですかね。

宮田　そうですね。競争もそうですし、独占だったとしてもトレーサビリティに対する説明責任をある程度持てればいいのかもしれません。

山本　たとえば中国だと、独占ないし寡占のような状態で信用スコアが運営されているわけですよね。そうすると、仮に生来的な情報、遺伝情報まで見ているとなったときに、そのことが透明になっても逃げられないわけです。そこはやっぱりレギュレーションが入って、スコアを付けるときにそういう情報は「見てはいけません」とするのか、それとも独占・寡占を防ぎ、競争を促進することで、見ることは禁止されないが、そういうものを見ているところから個人が逃げられるようにしておくのか。いろいろ方向性はあると思うんですが。

宮田　たとえば遺伝情報をもとに、がんの抗がん剤が効くかどうかといった検査はすでに行われているんですね。

山本 そうですね。

宮田 ですから、とくに医療やヘルスケアのプラットフォームでは、目的に応じて、遺伝情報を切り出して使うことはあると思います。しかし、銀行業者が遺伝情報を使ってプロファイリングをするような場合には、「これは深刻な差別を根源的に孕むものなのでさせません」と、プラットフォーマー側がレギュレーションをかけることが必要です。

山本 そう考えると、やはり大事なのはガバナンスですよね。GDPRも個人の権利を規定しつつ、実は権利の具体的実現の在り方については詳細に述べていなかったりします。その代わり、データ保護影響評価の実施とか、行動規範の策定・遵守とか、認証の仕組みとか、不公正なデータ利用を防ぐためのガバナンス構築を強調しています。こうしたガバナンスをしっかりやっている企業については、違反行為があった場合の制裁金が減額されるなど、よいことがある。こう見ると、GDPRは、権利基底モデルに見えて、その実、ガバナンスモデルを採用しているようにも思えます。日本で信用スコアを規律していく場合も、内部的なアルゴリズム監査、人権に対する影響評価、倫理委員会の設置、認証制度の創設など、公正なスコアリングを担保するためのガバナンスを構築していくことがまずは重要でしょうね。

ところで、ＡＩの研究者の方々と話すと、因果関係か相関関係かという議論になることがあります。ＡＩは基本的に相関関係をベースに判断するので、なぜ両者が相関するのかという理由、つまり因果関係は理解しない。マーケティングのような領域では、相関関係に基づく確率的な判断でよいと思いますが、たとえば、個人の人生に関わる重要な決定を、相関に基づくＡＩの確率的判断だけで行なってよいか、という問題がある。また、相関するものはすべて考慮すべきか、という問題もあります。データ上、人種が犯罪率と相関するとき、予測精度を重視するならば人種を考慮すべきとなるし、人種間の公平性を重視するならば考慮すべきではないということになります。

宮田　前者でいうと、医学はまさに因果関係を徹底的に追求してきました。判断を間違えると命に直結するからです。その中でもいま、ＡＩは使われています。しかし、ブラックボックスオンリーだとリスクの責任が取れないので、運用の方でレギュレーションをかける。最初の判断を人間にさせたり、部分的にAIを使ったりと、アプローチはいろいろありますが、運用でなんとかできるレベルにはなってきている気がします。

ただそれ以前の問題として、差別のように人権を著しく損ないかねない場合には、目的に照らして絶対使ってはいけない、というパターンが絶対あるべきです。これは社会システムそのものの設計思想になるかもしれませんが、あるシステムが強くなるための手段として人があるわけではありません。

あくまで出発点は、一人ひとりの生き方があって、人々がその人らしく生きていくためのシステムやプラットフォームであり、その根本を脅かすような使い方はそもそも原則として許容してはいけないと思います。こうした背景の中で考えた時に、いまEUと話しているのは、データポータビリティやデータアクセス権、忘れられる権利の上位概念として、データ共有権を確立すべきではないかということです。もちろん冒頭で山本先生に指摘していただいたように、データ共有は強制されるものではありません。共有財としての側面を持つデータの特性をふまえて、信頼が得られるような活用を積み上げ、新しい価値を共創するということが大事なのではないかと思います。

（二〇一九年一〇月二一日収録）

第三章

多元化するデータ・エコノミー

データが生み出す多元的価値

産業革命以降、多くの人々の人生を左右してきたのは貨幣でした。お金より大切なものがあることについては、多くの人々が同意をするけれども、それを目に見えるものとして共有したり、他の価値に交換したりすることは困難でした。

このような背景の中で、ほとんどの人々は、さまざまな財と交換可能な価値である貨幣を合理的に獲得するためのシステムに組み込まれ、人々の労働は金銭という形での利益の獲得へと捧げられてきたわけです。

しかし現代の経済を見ると、これまでのようにモノをベースにしながら経済を動かす時代が大きく変わりつつあることを実感します。たとえば労働が富の源泉であるというような労働価値説は、現在のようなデータ駆動型経済では十分な説明力を持たなくなってきています。

労働価値説とは、労働がモノをつくり、モノの売買によって利益が生まれるという考え方です。それに対して、データ駆動型経済では、データが価値の源泉になります。典型的には、データを生み出したり集めたりする人に加えて、そのデータを利用して他の人が使える形に加工する人が、価値を何倍にもしています。たとえば、人々はそれぞれデータを生み出しているけれども、そのデータをつなげるシステムを考えたグーグルが、価値を何倍にも高めています。従ってデータは、それを生み出す労働やモノと離れたところで社会的価値を持つようになっているわけです。

そうなると、データ駆動型経済では「価値」の捉え方もドラスティックに変えていく必要があります。これまでの経済で価値といえば、貨幣に一元化されていました。貨幣が唯一の価値交換手段であり、貨幣を中心に経済が回ってきたわけです。しかしデータが価値の源泉となるような経済では、貨幣だけが特権的な価値交換の担い手でなくてもいいかもしれない。もっと多元的な価値交換のあり方を構想することができるはずです。

なぜか。データは、貨幣のように交換しなくても共有できるからです。そういったデータが価値の源泉になるということは、価値を共有できる範囲も大きく広がっていくということです。

社会信用スコアの可能性

意外に思われるかもしれませんが、データの活用によって、貨幣以外の価値の可能性を示しているのが、序章でも少し触れた中国の芝麻信用（ジーマ・クレジット）が導入している社会信用スコアです。

芝麻信用では、スマートフォンのアプリを通じて、利用者の「信用」を三五〇〜九五〇点の範囲で点数づけ（スコアリング）します。この得点は、総務省「平成30年度版情報通信白書」によると、①身分特質（社会的地位・身分、年齢・学歴・職業など）、②履行能力（過去の支払い状況や資産など）、③信用歴史（クレジット・取引履歴など）、④人脈関係（交友関係及び相手の身分、信用状況など）、⑤行為偏好（消費の特徴や振り込み方など）という五つの領域の点数を合計したものですが、本人にはそれぞれの領域の成績はレーダーチャートで示されるだけで、個別の点数はわからないようになっています。したがって、実際のユーザーのスマートフォンに最終的に表示されるのは、それぞれの領域の大まかな成績チャートと最終スコアだけなのです。

さらに、この社会信用スコアには、人々を道徳的に行動させる仕掛けが組み込まれています。たとえば「公共料金の支払いが遅れないよう、期日までに支払う」のように、スコアを上げるための行動のヒントが表示されるわけです。

信用を格付けすること自体は、珍しいものではありません。日本でも融資を重ねて返せなければ、お金を借りることができなくなります。クレジットカードの発行にも審査が必要です。

ただし、多くの信用格付けはこれまで、金融システムの補完として「信用」という概念を活用していました。そしてその活用の仕方も、たいていは支払いの不履行や、事故の有無などから、なんらかのペナルティを課す減点方式が主流でした。

それに対して芝麻信用は、過去の支払いや取引履歴といった金融面の信用だけを点数化しているわけではありません。先述した五つの領域を見ればわかるように、さまざまな情報を多元的に組み合わせて、加点方式による評価を組み込んでいるのです。

たとえば、高いスコアを獲得した人は、シェアサイクルの保証金が免除されたり、利用料金が無料になったりします。また中国では、公共図書館での本の貸出の際も保証金が必要でしたが、これも免除されます。これらはあくまで一例であり、他にも多様な優遇サービスが導入されています。

　こうした社会信用スコアは、芝麻信用以外にも数多く実施され、なかには環境保全への貢献をスコアリングするケースもあります。たとえば、ガソリン車を使わないで自転車や電気自動車で通勤したり、ゴミを適切に分別して廃棄したりすると、プラスのポイントになるのです。

　また、こうしたポイントは本人の行動だけでなく、子供の進学などにも影響するように運用されています。この時、貨幣を所有していても子供は良い学校に入れないけれど、「信用」のある家庭は良い学校に入学できるということが起きてきます。「信用」とは時に、貨幣を上回る価値を示すことになるわけです。

　こうした社会信用スコアの根本的な意義は、社会のなかで「信用」を可視化したことで、さまざまな取引にかかるコストやリスクが格段に下がったことにあります。

　先述したように、これまで図書館側などは、相手が信用に足る人間かどうかわからないから、保証金を払ってもらっていた。つまり貨幣が信用の肩代わりをしていたわけです。これは、払う方も受け取る方も不便です。

　でも、社会信用スコアの導入をすると、相手が信用に足る人間かどうかがスコアでわかる。取引にかかるコストが下がれば、それだけ取引が頻繁に行われ、経済活動が活発化することになります。

さらに、信用がスコアリングされることによって、人々は自発的に、スコアを上げるような道徳的な行動をするようになります。しかも芝麻信用では、スコアの具体的な計算方法がブラックボックスになっているため、「点数が下がりそうな行動は避けよう」という意識が働きやすいのです。

社会信用スコアの問題点

もちろん中国の社会信用スコアに問題がないわけではありません。法哲学者の大屋雄裕氏（第四章で対談）は、「個人信用スコアの社会的意義」という論文（『情報通信政策研究』2巻（2018）2号所収）のなかで、社会信用スコアそれ自体を排除する理由はないとしたうえで、問題点を二つ指摘しています。

一つ目は、「寡占・独占の発生によって競争的環境が失われ、評価の多元性とそれに基づく同種サービス間の移動可能性が失われた場合」に生じる問題です。社会信用スコアが一つの事業者に独占されてしまうと、そこが差別的なスコアリングをしていても、利用者は使わざるを得ない。こうしたことはもちろんあってはならないものです。のみならず、スコアで低い点数の人に対する差別や排除をまねきやすい。信用スコアの運用は、むしろ新たな格差社会を助長するという指摘もあり、社会での運用には注意が必要です。

二つ目は、国家が全社会をカバーするような社会信用スコアを構築することは認められないということです。これは完全な監視社会を生み出してしまう。大屋氏は、次のように述べています。

> その国家が個人信用スコアを提供し、あるいは現存するさまざまなサービスを基礎としての身分情報と統合することによって、市場内部で個別の競争者によって提供されていた個人信用スコアは、社会・国家全体をカバーし外部への流出や移動を許さない社会信用システムへと変貌してしまうのだ。すでに中国国内からは、このようなシステムが治安維持へと活用され、社会的排除へと展開しているという指摘を聞くことができるだろう。（傍点は引用元）

どちらの指摘もうなずけます。ですから、こうした社会信用スコアを社会に導入する際は、複数の事業者が提供できるような環境を整えたうえで、利用者が自由にサービスを選択できるようにしなければなりません。

たとえば、芝麻信用のように評価基準をブラックボックスにしている事業者がある一方で、どういう条件を満たせば点数が上がるのかという基準を明確にしている事業者があれば、そこに競争が起き、よりフェアで適切なアプリに改善していく方向に向かうはずです。そして大屋氏がいうように、国家の一元的な社会信用スコアの活用は避けなければなりません。国民は国家から離脱できないからです。

ポストSDGs——いのち輝く

私が、社会信用スコアに注目するのは、貨幣とは異なる共有価値を可視化して、社会の中に埋め込んでいく試みとして興味深い実例だからです。

ただし信用は重要なものですが、あくまで共有価値の一つです。現在、データによって健康への貢献、環境への貢献、教育への貢献、安全・安心への貢献、多様性・公正への貢献、など多元的な共有価値を可視化し、実際に共有することが可能になっています。「データ駆動型社会」とは、データ分析で経済合理性をさらに高める社会ということだけではなく、社会を駆動する価値そのものを、貨幣以外の概念に多元化する触媒にもなりうるものです。

たとえば、ボランティアでサッカーを教えている人たちの活動はすばらしいものです。彼らの活動があって、サッカー文化を底上げしていく側面が確実にあるでしょう。データを使えば、こういう金銭感覚からこぼれ落ちるような貢献を可視化して、貨幣ではない形で報いていくような仕組みも作れるかもしれません。

自分の得意なことを教えると、特別なチケットがたまり、それを使えば自分が学びたいことを教えてもらうような仕組みも考えられます。

このような仕組みがさまざまな分野でできあがっていくと、一人ひとりが自分の興味や関心にしたがって活躍できる機会が増える。それは人々の「生きる」を支えるものとなるでしょう。

では、信用以外の共有価値をデザインするには、具体的にどのような方法があるでしょうか。

現在、国家内の調整では解決できない課題については、国家間の交渉や、国際連合のような機関の調停による解決を図ってきました。しかし、これまでのアプローチだけでは、気候変動や難民問題、新型コロナウイルス感染症のように環境や貧困、健康などの課題解決には十分にアプローチできない問題もたくさんあります。このような背景の中で登場したのが、二〇一五年九月に国連サミットで採択された「SDGs（Sustainable Development Goals、持続可能な開発目標）」です。

SDGsは二〇一六年から二〇三〇年の国際目標として掲げられているものです。SDGsでは、各国政府が地球の持続可能性について説明責任を負うだけでなく、経済活動を行う各企業も同様に説明責任を負うという踏み込んだ目標内容になっています。

これまでのCSR（Corporate Social Responsibility、企業の社会的責任）という概念では、ある部分では貪欲に利益を追求して事業収益を上げながら、別の部分で社会貢献事業を行って企業イメージのバランスを調整する、というような戦略もありました。しかしながらSDGsでは、企業の中核となる経済活動において、社会への持続可能性に対する貢献を組み込むべきという考えが取られています。

ある製品を生産する工程で、環境に過度に負荷を与えていないか？　途上国を過剰に搾取していないか？　人々の健康と福祉にどの様に貢献しているか？

こうした観点から、社会の中に企業に一定の役割を担わせ、持続可能な世界を模索していくということが必要とされています。ＳＤＧｓ「すべての人に健康と福祉を」に掲げられた個別目標の例を見てみましょう。

3・1　妊産婦の死亡率削減
二〇三〇年までに、世界の妊産婦の死亡率を出生一〇万人当たり七〇人未満に削減する。

3・2　五歳未満児の予防可能な死亡の根絶
すべての国が新生児死亡率を少なくとも出生一〇〇〇件中一二件以下まで減らし、五歳以下死亡率を少なくとも出生一〇〇〇件中二五件以下まで減らすことを目指し、二〇三〇年までに、新生児及び五歳未満児の予防可能な死亡を根絶する。

3・3　感染症に対処
二〇三〇年までに、エイズ、結核、マラリア及び顧みられない熱帯病といった伝染病を根絶するとともに肝炎、水系感染症及びその他の感染症に対処する。

3・4　非感染性疾患による死亡率の削減及び精神保健の促進

二〇三〇年までに、非感染性疾患による若年死亡率を、予防や治療を通じて三分の一減少させ、精神保健及び福祉を促進する。

いずれもすばらしい目標です。ただ、3・4が「若年死亡率」と限定していることに示されているように、SDGsは途上国も含めた世界全体で掲げる目標であるため、「いのちを消さない」ことを最優先の目標としています。もちろん、この点は正しいと思います。

しかし、これらの目標の先に、超高齢化社会に突入する日本の未来がひらけるかというと、そうではありません。

たとえば日本社会では、認知症の治療やサポートに公的私的な費用を合わせて、現時点でも年間一四・五兆円を費していているという試算があります。高齢化の進行を見据えながら持続可能性を見いだすことは、日本社会にとって必須の社会課題です。

第一章でも述べたように、世界で最初に大規模な超高齢化社会となる日本は、世界の

「未来の鏡」であるとも言われています。ＥＵの多くの国々、中国をはじめとするアジア諸国も、今後数十年のうちに超高齢化に確実に直面することになります。このことをふまえると、ＳＤＧｓの「すべての人に健康と福祉を」については、高齢者やマイノリティの視点、疾患という単位だけでなく健康な時からのサポートという視点が必要になってきます。

したがって日本は、ＳＤＧｓ的な「いのちを消さない」に留まらず、「いのち輝く」という視点で、新たな目標を設定することが求められます。それはたとえば「病気や社会的な格差があっても、それを人生の障害と意識することがない」ことや、「魅力的な生き方を追求する中で、自然と健康になることができる」という視点かもしれません。

そこで、ＳＤＧｓのその先として「持続可能な共有価値（Sustainable Shared Value）」という言葉をあてて考えてみましょう。「持続可能な共有価値」のカテゴリーはＳＤＧｓと同様に設定しながら、「妊産婦死亡率の削減」という途上国を軸にしたミニマルな目標に加え、「生きがいを支える健康」「楽しさの先にある健康」という、新しい豊かさを目標設定するわけです。

「いのち輝く」という視点から考えた時に、新たな豊かさとは何か、世界の国々と対話し

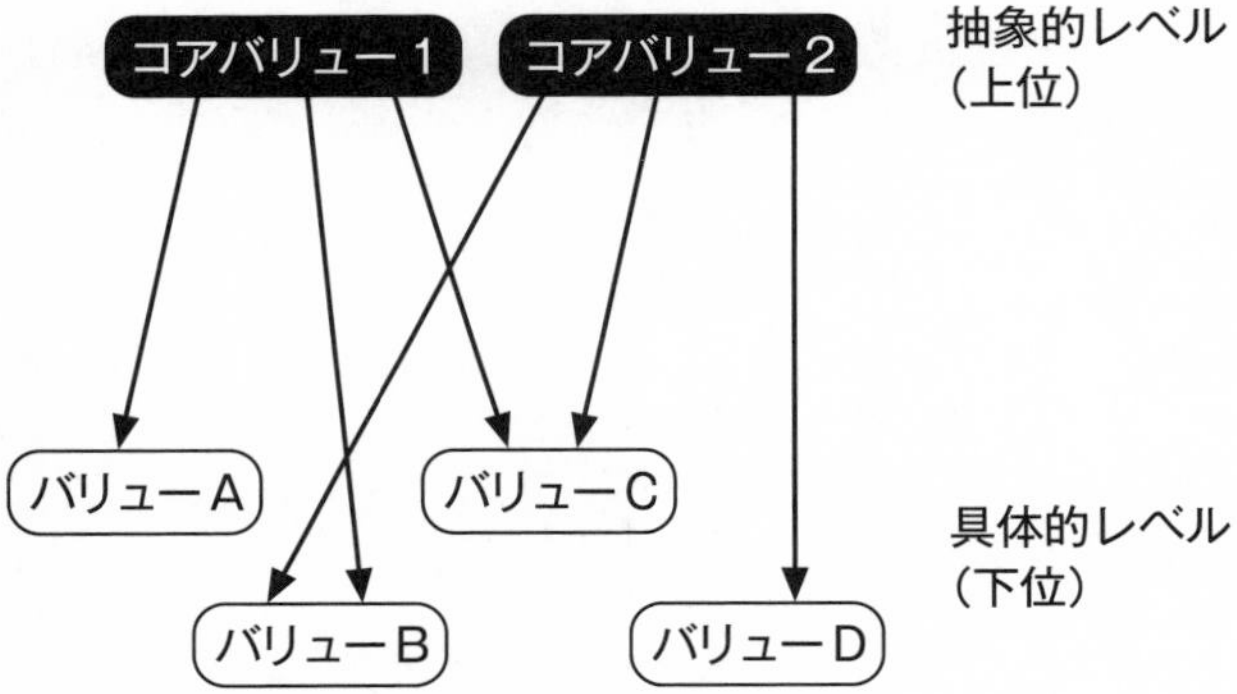

図8　コアバリューとその他のバリューの関係図。

て考え、可能性を提示していくことが日本の重要なミッションになるでしょう。超高齢化社会到来後の社会像についても、日本が国全体でモデルケースを作りながら、世界の未来の一端を見せる、あるいは各国と共創してそれぞれの地域の未来を見いだすことは世界にとっても大きな意義があります。

「価値」の難しさ

ここでさらに踏み込んで「価値」について考えてみましょう。

価値を扱うために、人類の歴史において多くのコミュニティ、国家、集団が試みてきたのは、上位の価値であるコアバリュー（正義や善、時には宗教的な概念のような核となる価値観）を設定し、そのコアバリューに基づいて具体的価値を定義する規範や仕組みを定めるというものです（図8）。

これらの仕組みの中で定立されたコアバリューは、多くの場合、他の諸価値の上位に位置するものとして整理されています。人々はあるコアバリュー1に従うことが望ましく、これにより他のバリューA、B、Cも同時に達成されるというものです。たとえば、ある宗教の教義をもとにした価値観が強いコミュニティでは、唯一絶対の「神」にもとづいて、具体的な価値観が決まる。だから、神だけがコントロールできる生命に対し、人間が介入する中絶に強い反対が起こるといったことがあるわけです。

こうした仕組みの課題は、いうまでもなくコアバリューの異なる集団同士で衝突が生じる場合です。コアバリューがただ一つであり、それを全人類が共有できるのであればそれほど大きな問題は生じません。しかし実際は、国家や宗教の数だけコアバリューが存在することは世界の現況が示している通りです。

もちろん殺人に対する刑罰の必要性（実際の量刑判断は簡単には一致しませんが）、財産保護の不可侵性など、システムは異なっていても同様のルールが導かれることもあります。一方で環境負荷に対する企業や国家の責任、自由と安全保障のバランス、宗教的なタブーの相違、歴史認識など、異なる文化間で価値の衝突が生じると、対話が困難になるケースが多く見られます。

法や貨幣の弱点

では、こうした価値の衝突を防ぐ手立てはないものでしょうか。価値を考えるうえでは、「上位階層のコアバリューを設定する」というアプローチ以外に、「対象とする価値を具体的なものに限定する」というアプローチがあります。

この考え方の多くは、政治であれば具体的な文言によって規定された法、経済であれば貨幣のみを価値として捉えるものです。この考え方を用いれば、上位レベルのコアバリューの異同にかかわらず、具体的なレベルの価値でお互いの利益を議論し、調整を行うことができるようになります。

しかし、法や貨幣という価値にも弱点はあります。

法だけを価値と認めると、ルールの枠外でモラルの効力が失われるようになり、様々な機能不全を引き起こします。極端な例では、ルールに触れなければ何をしてもよいという感覚が人々のなかに生じかねません。

また法による解決では、二つ以上のルールが異なった見解を与えたとき、課題を扱うことが困難となります。例としては、コロナ禍で先鋭化したような公共の福祉と基本的人権の対立、すなわち多数者の利益（安全）のために、個人の権利を制約することが許されるのかどうかということもその一つでしょう。

貨幣についてはどうでしょうか。貨幣を一元的な価値とすると、貨幣価値の増大によって象徴される経済成長の中で、具体的価値として表現されにくい環境の持続可能性への対策がおろそかになってしまう懸念があります。「環境問題が大事なのはわかるけれど、目先の利益を確保しないと株価が下がってしまう」という発想がその典型です。

このように、法や貨幣が、社会の秩序を保ち、経済的なコミュニケーションを円滑にするうえで重要な価値であることは変わりませんが、それに頼りきりでは、他の重要な価値を置き去りにしてしまうわけです。

「GDP」から「持続可能な共有価値」へ

「上位階層のコアバリューを設定する」とは、畢竟、イデオロギーを持つということにほかなりません。法や貨幣など「対象とする価値を具体的なものに限定する」アプローチは、イデオロギー間の対立や衝突を緩和する重要な手段になりますが、それにも限界があります。

私が提案したいのは、データ駆動型社会ならではのもう一つのアプローチです。それは、環境への影響、貧困の対策、健康の保障、安全と平和など、多様な共有価値を可視化して、国家や集団間の対話の「共通言語」にするというものです。

これまでもこうしたことは理想論としては掲げられていましたが、データ駆動型社会の到来により、世界を動かす新しい力として一気に現実味を帯びてきました。

先述した中国の社会信用スコアは、まさに国家規模で共有価値を可視化した事例ですが、さらに環境への影響、教育への貢献、健康の維持、平和や安全に対する影響など、データを活用することでさまざまな共有価値を可視化し、社会のデザインのために活用することができるはずです。新型コロナウイルスが到来した二〇二〇年の社会においては経済だけではなく、「公衆衛生」や「健康」という共有価値が世界の関係を考えるうえで重要なものとなりました。

新しい豊かさを実現するうえで、ＧＤＰのように貨幣的価値だけを指標とすることは、すでに限界にさしかかっています。とりわけ、経済の軸が所有財の側面を持つ石油から、共有財としての側面を持つデータにシフトする中で、貨幣的な付加価値を示すＧＤＰだけでは、社会の豊かさを十分に捉えることはできません。

すでに二〇〇九年のフランスでは、経済学者のジョセフ・Ｅ・スティグリッツやアマルティア・センを中心に設置された「経済業績と社会進歩の計測に関する委員会」（The Commission on the Measurement of Economic Performance and Social Progress）の報告書のなかで、ＧＤＰの限界を指摘したうえで、「客観的および主観的なウェルビーイング（both objective and subjective well-being）を計測することが、人々の暮らしの質に関する情報の鍵になる」と述べられています。

ここでいわれている「客観的および主観的なウェルビーイング」は多義的な概念ですが、私が考えている「持続可能な共有価値」と近いものです。持続可能な共有価値を、「ウェルビーイング（＝いのちの輝き）に貢献する要素」と捉えることで、平和や環境、教育、健康、雇用や労働、貧困や格差といったＳＤＧｓの主要なカテゴリーを包括的に捉えることができるようになります。

たとえば、お互いが「公正」を唱えて、その主張が食い違ったとき、それらの内容は共有価値のどのような内容に影響を与えるのか？　各々の「公正」観に基づいた取り組みが、現在そして未来の人々のウェルビーイングに対し、どのように貢献をするのか？　こういう観点から対話を行うこともできるかもしれません。

ここで一点、共有価値（シェアード・バリュー）と、言葉が似ているシェアリングエコノミーとの違いについて解説しておきます。

ウーバー（Uber）やエアビーアンドビー（Airbnb）はビジネスモデルに大きな変革をもたらしましたが、地域から様々な反発を受けています。その理由の一端は、シェアという目標をかかげながらも、そのビジネスモデルは、ある特定の集団の金銭的利益を最大化するための仕組みでしかなかったからです。

同様に、経営学者のマイケル・ポーターが提示したＣＳＶ（Creating Social Value、共有価値の創造）という概念も、貨幣価値を最大化するための手段として共有価値を用いるというところに留まっています。

しかし、「持続可能な共有価値」は、それらとは位置づけが異なります。「人々のウェルビーイングを実現するための手段として、様々な共有価値があり、その一つが貨幣である」という視点で社会を考えるのです。

ビジネス界も共有価値を無視できなくなった

こうした「持続可能な共有価値」という視点を、ビジネス界の本流も無視できなくなっています。

すでにアクションは起こり始めています。イギリスのボリス・ジョンソン首相は、温室効果ガス削減のために、ガソリン車、ディーゼル車、ハイブリッド車の販売禁止を、これまでの二〇四〇年から五年早めて二〇三五年から実施することを発表しました。フランスも二〇四〇年までに、ガソリン車とディーゼル車の販売を禁止することをすでに発表しています。

こうした発表は単なるお題目ではありません。実際、すでに欧州の自動車メーカーはEVシフトを急速に進めています。

自動車業界だけではありません。LVMHやケリングを擁し、ファッション・繊維産業を牽引するフランスでは、持続可能ではないビジネスモデルに対して大きく規制をかけ始めています。途上国を搾取するビジネスモデル、環境負荷をかけるビジネスモデルは成立しなくなってきており、持続可能性はイメージアップのためのおまけではなく、それがないと成立しない要素になりました。

目の前の便利さのツケが途上国に回り、積もり積もって世界に影響を及ぼすことの象徴的な事例として、二〇一三年にバングラデシュで発生したラナ・プラザ崩落事故を挙げることができます。この事故では、警察が退去命令を出した倒壊の恐れがある建物であるにもかかわらず、縫製工場が稼働を続け、結果建物が倒壊し一一三八人が亡くなりました。

この異常な状況を生んだのは、低価格生産を実現するための、グローバル企業からのプレッシャーでした。生産効率が落ちることを恐れた経営者が、リスクを知りながら稼働を強行し、出社しなければ解雇する、という脅しを従業員にかけて発生したこの事故は、先進国の欲望が生んだ人災といえます。

この事件の後、ファッション業界の考えは大きく変わりつつあります。立場の弱い人達にリスクを押しつけて成立するようなビジネスは倫理的に許されないという意識が共有されつつあります。同時に消費者のなかにも、目の前にある商品がどのような過程を経て自分にたどり着いているかを購入の判断材料とする「倫理的な消費」が、少しずつですが広がってきています。

巨大ＩＴ企業もこうした潮流と無縁ではいられません。前章で述べたＧＤＰＲの登場で、データへのアクセス権が新しい基本的人権として唱えられる中で、世界経済を席巻するＧＡＦＡの考え方も大きく変わりはじめました。

グーグルは「AI for Social Good」という方針を打ち出しています。世界への貢献を第一に示すことで、データを活用する信頼を得る戦略であるといえるでしょう。同様に、フェイスブックは「Data for Good」、そして、マイクロソフトは「AI for Good」を提唱しています。

アマゾンのＡＷＳ（Amazon Web Services）は、ＬＩＮＥを用いた「新型コロナ対策パーソナルサポート」プロジェクトに対してすぐに協力を申し出てくれました。

「ＧＡＦＡは独占的だ」と揶揄されがちですが、コロナ禍で人々の移動に関するビッグデータを公表したグーグルや、ＬＩＮＥと厚生労働省のプロジェクトに無償で協力してくれたＡＷＳの動きに見られるように、各社のデータに関する意識は大きく変わりつつあることもたしかです。

デジタル通貨との連動

デジタル通貨にも大きな動きが見られています。

二〇一九年六月にフェイスブックが新たなデジタル通貨「リブラ」の発行計画を公表しましたが、世界中の金融規制当局から強い拒絶反応を示されました。

仮にリブラが普及すれば、約二五億人のグローバルなフェイスブック・ユーザーが、共通のデジタル通貨を用いて、さまざまな取引をすることになります。その規模は、ビットコインのような仮想通貨とは比べものになりません。成功すれば、フェイスブックは歴史上最も大きな企業になる可能性が高いでしょう。

しかし、G20は全てリブラに反対しています。なぜでしょうか。

新しいサービスが経済バランスを破壊するという警戒もありますが、フェイスブックが行ってきたデータ活用に対して、信頼できるかどうか疑問を持つ人々が少なからずいたことは一つの要因です。

その背景には、ケンブリッジ・アナリティカの事件があります。二〇一六年に、ケンブリッジ・アナリティカというデータ分析企業が、フェイスブックから流出した八七〇〇万人分の個人情報を、トランプ陣営のために不正利用したことが明るみに出ました。そういったデータ管理のポリシーをかつて有していた企業に、グローバル規模のデジタル通貨を任せることは不安なのではないかという視点です。フェイスブックもこの点を懸念し、現在では大きな権限を持つ情報倫理に関する委員会を設立しています。

ただ、デジタル通貨の風向きも急速に変わってきています。二〇一九年一二月にスウェーデン国立銀行が「eクローナ」の実験プロジェクトを発表したことや、二〇二〇年四月に中国の中央銀行である中国人民銀行が「デジタル人民元」の発行計画の進展を発表したことなどから、デジタル通貨の普及が一気に進みそうなのです。

デジタル通貨へのシフトが進んでいけば、それと連動して、多元的な共有価値を可視化する流れも加速していくでしょう。

現在のような一元的な貨幣価値に収斂するのではなく、それぞれのコミュニティのなかで流通するコミュニティ貨幣のようなものも生まれるかもしれません。

たとえば、環境に貢献したい人や企業が集まるコミュニティを想像してみましょう。そこでは、レジ袋をもらわなかった人には環境ポイントを還元して、環境サステナブルをキーワードとした新たなサービスが出来上がったとき、たまったポイントでそれを優先的に利用できるような仕組みが考えられます。

どのようなスタイルを貢献価値として設定するかは、コミュニティの判断次第ですし、これは地域によって違ってよいものだと思います。このようなコミュニティが、環境、スポーツ、食、教育・学習、健康など、多層的につくられていくことで、GDP至上主義とも、中国の一元的な社会信用スコアとも異なる、新しい豊かさが実現していくのです。前章で提案した、日本の「第四の道」もこのような新しい豊かさに寄与するものでなければなりません。

たとえば価値の多様性ということであれば、信用だけでなく、仁（教育や人材育成への貢献）、義（社会の相互扶助や持続可能性への貢献）、礼（質の高いサービスの提供、人々へのリスペクト）、知（イノベーション創出への貢献）など多元的な価値を創出することができるでしょう。

繰り返しになりますが、これまでの社会活動は貨幣を主軸に成り立っていました、したがって、貨幣として交換が困難な行動は評価がされにくい面もありました。また社会システムも経済活動を回すということが第一となり、人々の人生もその貢献の中で捧げられてきました。

しかしながら今後、データにより多元的な価値を共有することができれば、生き方のデザインを変えることができます。私はこれを「『生きる』の再発明」と呼んでいます。

次章では、この「『生きる』を再発明する」ことの内実をより具体的に説明していきましょう。

対談×安田洋祐

多様な価値が共鳴する経済圏には何が必要か？

安田洋祐（やすだ・ようすけ） 一九八〇年生まれ。専門はゲーム理論、マーケットデザイン。大阪大学大学院経済学研究科准教授。編著書に『改訂版　経済学で出る数学――高校数学からきちんと攻める』（日本評論社）『学校選択制のデザイン』（ＮＴＴ出版）など。

現代の資本主義のなかでは、あらゆる財やサービスは、貨幣を価値尺度として交換されています。簡単に言えば、どんなモノやサービスの価値も、貨幣によって表現されるわけです。

しかし貨幣経済は便利な反面、人間が貨幣に振り回されるような社会を生み出してしまいました。その大きな原因の一つは、貨幣という価値尺度があまりに強力すぎるからです。

加えて、貨幣では表現できない価値も数多くあります。たとえば、個人の小さな社会貢献やコミュニティ活動などは、貨幣というものさしでは適切に可視化されません。貨幣的な付加価値を示すGDPでは、社会の豊かさを十分に捉えきれないことは、多くの人が実感しているところでしょう。

そこで本章では、「価値」という問題に踏み込んで、データには多元的な価値を可視化する力があることを説明しました。多元的な共有価値が可視化され、社会で共有できれば、私たちの価値に対する感覚も変わっていくはずです。

では、それを実現するためにはどうすればいいでしょうか。その具体的な取り組みのヒントを得たいと思い、経済学者の安田洋祐先生に対談をお願いしました。GDPに代わる豊かさの指標として、どのような考え方があるのか。価値を可視化する仕組みを社会に実装するうえで、どのような課題をクリアする必要があるのか。安田先生は打てば響くように、私の問題意識やビジョンを汲み取り、経済学的な観点から貴重な示唆を与えてくれました。

たくさんの引き出しを持っている安田先生との議論を通じて、本章の議論が発展する道筋が明確になったように思います。

GDPを問い直す

宮田　まず、私の問題意識をお話しします。かつてアマルティア・センやスティグリッツがGDPを批判して、それとは異なる指標の必要性を説いていました。私も二人の考えに共感を覚えましたが、現実はそう簡単に変わらず、いまもGDPが成長したかどうかが、国の豊かさを測る最大の指標として機能しています。

　でも経済活動の実態を見たとき、GDPの賞味期限が切れかかっていることもまた一面の真実ではないでしょうか。いまや時価総額トップの企業は、データ企業で占められています。このことは、モノの所有や売買という実物経済だけでは、経済活動を説明できなくなっていることを示しています。

　翻ってデータというものを考えたとき、データは所有財というより、共有財という性格が強い。だとすると、データが駆動していくこれからの経済では、所有を中心に組み立てられてきたGDPだけを価値や豊かさを示す指標とすると無理が生じるように思うのです。

ここでは安田先生とGDPの問題を出発点として、それとは異なる指標の可能性や貨幣では測れない価値の可視化といった問題について、対話できればと思っています。

安田　宮田先生がいうように、GDPが豊かさを測る指標としては不十分であることは、以前から経済学の専門家も指摘してきました。GDPを一言でいうと、お金で測れる付加価値を計測しようという概念で、大雑把には「市場で対価のついた金額×数量」にもとづいて計算するわけです。そのときに、かつては我々が生産活動から実感できる付加価値と、お金で測れるGDPとのギャップが小さく、GDPにそれほど違和感を覚えませんでした。

ところがテクノロジーが進歩したことで、両者のギャップがいろいろなところで感じられるようになってきた。たとえば我々の多くがいま、月に五～六千円を払って、スマートフォンを使ってます。そしてスマホ一台で、さまざまな情報にアクセスできるし、無料で動画や音楽を視聴できる。

これは二〇年前なら、とうてい五〇〇〇〇円では受けられなかったサービスですよね。その時代に、何でも入力すればたちどころに調べてくれるとか、聴きたい音楽や読みたい作家の情報がたちどころに出てくるサービスがあったら、いくら払うか。富裕層なら、とんでもない金額を払ってでも使ってみたいという人だっているでしょう。つまり、スマホが実現している付加価値って、二〇年前を基準にしたら計り知れないほど大きいんですよ。

それがいまは月数千円の固定費を払えば誰でも使える。でも、そこで実現している付加価値の大きさは、市場で直接対価が払われていないのでＧＤＰには算入されません。

これはあくまで一例ですが、現在のＧＤＰという指標では掬いきれない付加価値が大きくなっているため、現実とのギャップは間違いなく広がってきています。

一元的評価から多元的評価へ

安田　いまの話と関連して、そもそもＧＤＰで暮らしの豊かさを測れるのかという根本的な問題もあります。ＧＤＰそのものに疑問を感じる場合、ブータンの国民総幸福量やセンとスティグリッツのウェルビーイング研究など、GDPとは別の指標を作るアプローチに向かうわけです。

そういった試みはどれも一定の意味があると思います。ただその一方で、いずれも一元的に数値化しようとしている点ではGDPと共通している。そこに無理があるように感じるんです。そうではなく、複数の指標を用いて、多元的に経済厚生やウェルビーイングを測ったほうがいいというのが私の考えです。

よくアナロジーとして出すのは、子供の教育です。どんなテストであっても、テストであるかぎり一元化される。入試もスポーツも音楽も、科目や採点項目などの要素が複数あっても、最終的にはそれらは合算されて、一元化した点数になってしまいます。

それに対して、成績表は多元的です。算数・国語・理科・社会・音楽・体育といった科目毎に、どのくらいできているかという評価が書かれています。また教科だけではなく、友だちに優しいとか、植物の面倒をよく見るとか、項目も増やそうと思えば増やしていけるんですよね。それらをわざわざ合算しなくても、わかりやすく示すことのできるユーザーインターフェースは進化しているはずです。

だから、無理にまとめる必要はない気がするんです。

無理にまとめてしまうと結局、ものさしが何であろうと、中国の信用スコアのようになって優劣を意識してしまう。そうではなく、多元的な評価をそのまま示して、ある人はAというファクターを重視するけれど、別の人はBというファクターを重視するという形にしたほうが、現実に即していると思うんです。

宮田　まったく同感です。いままではお金より大切な価値があるとみんな思っていたけれど、それを共有する手段がなかったので、どうしてもお金を中心に社会を回さざるをえなかったんですよね。

ところが情報技術によって、いまはデータでお金以外の価値を可視化できるようになってきています。それをまがりなりにもやってのけたのが、中国の社会信用スコアです。もちろんあれは、安田先生がいうように一元的な評価にとどまっていますが、お金とは別の価値で経済を駆動するアプローチの第一歩としては大きな意味があると思っているんです。信用スコアで、貨幣とは別の価値を可視化できることがわかった。そうしたら、次はそれを多元化していけばいいわけですね。

複数の経済圏があっていい

安田　多元的な指標や評価をどう具体化するかを考えたとき、あくまで理想論ですが、複数のものさしが同じコミュニティや経済圏にあって共存するのは難しいと思っているんです。そうではなく、ものさしが違う経済圏を並立させていくほうがいい。そうすれば、ある経済圏で活躍の場を見いだせない人も、別の経済圏で活躍できる可能性が出てきますから。

これはまったく新しい発想ではなく、昔だったら地域共同体のように、その土地に根差した伝統的なコミュニティがあって、そのなかでは贈与や共助というお金を介さないやりとりをしていたわけです。しかしそういう伝統的なコミュニティがどんどんやせ細ってきている中で、相対的にお金の経済圏だけが広がってきました。それに代わるものを何とか作れないかと考えているんですが、現実にはなかなか難しい。僕の印象ですが、この数年、共感経済や価値経済、トークンエコノミーなど、いろんな形で一元的な貨幣経済を乗り越えようとするアイデアは出てきています。ただ、そういったアイデアに抜け落ちているのは、やっぱり貨幣の市場圏というのは非常に強い、という現実認識ではないでしょうか。これは少なくとも、一〇年、二〇年はまちがいなく残っていきます。

貨幣を使わない経済圏が新しく出てきて、貨幣とは違うものさしで取引を始めるとしましょう。たとえば会員制のコミュニティで専門家同士で助言を与えるサービスを交換する。そのときにお金じゃなくて、ポイント制のように別のトークンを使うとします。そういうプラットフォームは実際にあるんですね。

でもこれを突き詰めていくと、そっちの経済圏で割安なサービスを受けて別の場で転売するような人が出てきかねないんです。いま挙げた例ではそれは起こっていません。なぜかというと、専門家同士で何かを教えあうようなやりとりは、転売することが難しいからです。でも、そこで交換されるのが口頭のやりとりではなくて、手製のノートや資料だったら、とたんに転売しやすくなりますよね。

大部分の人は悪意がなくても、一部でシステムの裏を突こうという人たちが出てきたときに、従来多くの人がイメージしている共感経済はかなり脆弱かもしれない。そこを乗り越えられるようなプラットフォームをイメージしておかないと、理念が素晴らしくても失敗するというケースが多いんです。

宮田　お金に換算した瞬間に、劣化したポイントカードになってしまいますよね。その誘惑を断ち切れるようなプラットフォームをどうデザインするかが、非常に重要になってくると思います。何か、うまくいっている実例はあるんですか。

安田　現状、可能性を感じているのが、ドイツで使われているキームガウアーという地域通貨です。これはユーロと一対一で交換できるデジタルな地域通貨なので、独自のものさしというわけではないんですが、制度設計がよく考えられているんです。

まずキームガウアーを得るには、手持ちのユーロから交換するんですが、一般の利用者が1ユーロを1キームガウアーと交換するのに対して、参加しているNPOは割安でこのキームガウアーを購入することができるようになっています。差額は活動資金に充てられるので、いわばNPOを支援することができる仕組みですね。最終的にユーロに戻す場合には、五%を手数料として払うことになります。さらにキームガウアーは、半年使わないと目減りするんです。ユーロに戻しても貯めておいても減ってしまうので、貯め込まずにどんどん地域で使う。そうやって地域社会を支えながら経済をうまく回すための仕組みが、キームガウアーという地域通貨には備わっているのですね。

宮田　個人レベルの社会貢献を組み込みながら、経済活動を回していくというシステムがとてもいいですね。

安田　この通貨を持つこと自体が、社会性が高いことのシグナルになるので、そういう活動や考え方に関心がある人が使ってくれます。同時に、お店もそれを使えるようにすることで、自分たちが社会的な問題に関心が高いことをアピールできる。だから、実効性のあるＳＤＧｓが広まっていく仕掛けになっていると思うんです。

宮田　たしかに。その通貨を使っていること自体が一つのステイタスですよね。

気づきにくい便益を可視化することの重要性

安田　何がしかの価値を可視化する仕組みを社会に実装するときに、大きな鍵になるのは、見えない損失や便益を見える化する、という発想です。

たとえば、宮田先生の専門であるヘルスケアの分野でいえば、誰でも年を取っていくと、身体機能は右肩下がりで落ちていきます。そこで、運動したり生活習慣を改善したりと予防医療に取り組んでも、落ち方は緩やかになるかもしれないけど、やっぱり下がっていくんですよね。

こういう下方トレンドは、がんばってもマイナスにしかならないという捉え方をすると、インセンティブにつながりません。だから、そこでがんばった価値を実感してもらうためには、何もやっていなかった場合の状態と比べて、どれだけプラスになっているかを可視化する必要があるわけです。

なぜこういうことを強調するかというと、日本は少子高齢化に象徴されるように、これからいろんな分野でマイナストレンドになることが予見されるからです。地方財政もそうですよね。放っておけば、赤字がどんどん積み上がっていく。いろいろ改善しても、どうしても赤字は出てしまう。でも、何もしないままだったときの赤字と比べて、減った分が見えれば、成果が実感できます。

こうした形で見えなかったものを見える化する工夫は、いろいろな分野で応用が利くはずです。逆にきちんと見える化してあげないと、成果を実感できないので、頑張ってみよう、使ってみようというインセンティブが落ちるんですね。

宮田　介護予防で「フレイル（虚弱）」という概念があります。これは、健康な状態と要介護状態の中間状態を指す言葉です。

このフレイルの評価基準として、歩行速度というのがあるんですね。歩行速度が秒速〇・八メートルを切ると、一気に死亡率健康リスクが上がる。だからチェックする側も、この〇・八という数字だけを気にするようになっているんです。しかも、実際に歩いてもらってチェックするので、情報の調査や把握にさまざまな追加コストが発生します。

でも正直にいうと、〇・八まで来てしまうと、自力で改善することは難しいんですね。実際は秒速一・七メートルぐらいから少しずつ悪くなっていく。だからそのくらいだと、自力で改善できる余地があります。

であれば、一・七ぐらいのときに「もう少し歩きましょう」とアドバイスできるにこしたことはありません。これは、簡単にできます。歩行速度の情報は、すでに一人ひとりの携帯電話のログの中にありますから。

安田先生がおっしゃるように、歩く速度はどんどん落ちていきますから、なかなか意識にのぼってこない。それを早い段階でデータとして可視化し、サポートを受けられるような仕組みをデザインできれば、当人の健康改善と同時に医療費の削減にもなっていくわけです。

安田　認知症も同じような発想で考えられますね。認知症と診断される人でも、早期に発見してある程度コミュニケーションをとっていくと、治すことはできなくても進行を遅らせることができる、という話があるじゃないですか。

宮田　そのとおりです。認知症も、中等度以上になると改善は難しいと言われています。でもおっしゃるように、早い段階で発見して社会活動を維持したり、身体活動を維持したりできれば、進行を止めることはできます。認知症の社会的費用は、公的私的な費用を合わせて年間約一四・五兆円という算出結果があります。この点を改善できれば日本には新たな可能性が拓けるわけです。

安田　医療費の削減以外にも、可視化することのメリットがあるように思います。たとえば家族の立場としても、おじいちゃんやおばあちゃんに軽度認知障害が出始めたとき、いままでとコミュニケーションの仕方が変わるので、少し疎遠になったりすることは容易に想像できますよね。話しても面白くないから、祖父母に会いにいく頻度がどんどん下がっていく。でもそれが認知症の進行を早めて、家族の介護負担も大変になるかもしれません。だから、いま積極的にコミュニケーションをとることによって、一年後にどのくらい介護負担が楽になっているかということが可視化されれば、多少コミュニケーションが難しくても、積極的に会ったり話したりするインセンティブが生まれるんじゃないでしょうか。

質と量のトレードオフが解消される時代

宮田　いまの介護や認知症のサポートもそうですが、データ駆動型社会のポイントは二つあります。一つは、貨幣以外の多元的な価値を可視化できることであり、もう一つは、個別的なサービスや対応ができるようになったことです。

いままでは、データがあまりなかったので平均値に僕らは合わせてきたんですよね。だからそこから大きく外れている人たちをサポートするのが非常に難しかったし、取りこぼしてきたと思うんです。でも現在は、データとＡＩを使うことによって、いままでとほとんど変わらないコストで個別的なサポートができるようになりました。つまり、最大多数・最大幸福という経済原理の世界でしたが、これからは一人ひとりのエンパワメントやウェルビーイングを支援して包摂する世界に経済が踏み込めるようになったことが大きな変化ですよね。

安田　いま宮田先生がおっしゃった個別化、カスタマイズということが、経済の面からデジタル化を捉えるときのいちばん重要なポイントだと思います。

デジタル化以前の経済発展の大きな特徴は、大量生産・大量消費で単価を下げることです。たしかに時代が進むにつれて、品種や品目は細分化してきましたが、それでも大企業は同じ製品を大量に作ってきました。大量に作ることで、コストアドバンテージが出てくるわけです。でも、それではニッチな市場はとりこぼしてしまう。カスタマイズしようとした瞬間に、コストアドバンテージを失ってしまうからです。だからニッチな市場は、職人的な人たちや規模の小さな会社が担っていたんですね。

では、デジタルの時代、GAFAの時代に何が起きているかというと、もっとも多くのユーザーを囲い込んでデータを蓄積しているプラットフォーマーたちが、カスタマイズできるようになってしまった。その結果、ニッチなマーケットがどんどん消滅しているところが、巷でよく言われている独占化の問題の背後にある大きな変化です。

別の言い方をすれば、従来は質と量はトレードオフでしたが、デジタル化が進むことでこのトレードオフが解消されてきているんじゃないか、ということを多くの経済学者が不安視し始めています。実際、個々の産業で独占化の度合いや集中度を計測してみると、徐々に増えてきていることが、最近になって明らかになりつつあるんです。

宮田 その象徴的な例がネットフリックスですね。これまでクリエイターにとって、「データはクリエイティビティに妥協を迫る邪魔なもの」と思われてきた側面があります。だから浅いマーケティング程度でしかデータは使われませんでした。たとえば、白人の若者に受けがいいものを作れば、世界中で憧れる人が多いからヒットするだろうといった具合に、人を集団で捉えた雑なマーケティングしかなく、結果的にそういう作品は内容も薄っぺらいものになっていました。

一方で、ネットフリックスは個々人に対してデータを当てにいったんです。マスを狙わずとも、一人ひとりがどのような体験をしたのかを拾っていけばビジネスになると。インド人がニューヨークに来て困難に直面するエピソードとか、LGBTから見た世界の見え方とか、食の職人の研ぎ澄まされた感性とか、ニッチなところのクオリティを追求すれば世界でも通じるし、ビジネスも回る。まさに安田先生がおっしゃったように、大量生産と小規模センサーで棲み分けていた世界がもうなくなってきています。

プラットフォーマーによる独占をいかに乗り越えるか

安田　プラットフォーマーによってきめ細かいサービスや製品が提供できるようになったので、多くの消費者はそれによって利益を得られる。ここまではいいんですけど、そこで必然的に出てくるのが格差の問題です。昔は国が通商政策や産業政策を主導して、国家中心だった経済が、いまは多国籍企業が活躍する大企業中心の経済になってきました。

個人にとっては、安価でカスタマイズされたサービスを受けられるのはうれしいけれど、そこでいちばん儲けているのはプラットフォーマーなんですね。ここをどう乗り越えるかが難しい。個別化されたきめ細かいサービスという出口だけを見ると、ものすごくエキサイティングな時代に突入していると思いますが、同時に、その部分の独占的な状況をどうするか。英語の場合、独占には「monopoly」（売り手独占）と「monopsony」（買い手独占）の二つがあって、いま注意すべきは圧倒的に後者の「monopsony」だと思います。

従来、独占企業の弊害というのは、前者の「monopoly」の視点から議論されることが大半でした。売り手として市場シェアが高い企業が値段をつり上げる、消費者の利益にならないような形で製品を売る、といった独占的な振る舞いに焦点が当てられることが多かったんですね。

しかし現在の我々は、たとえばグーグルに対してそこまで高い対価を払っているわけではありません。ですから、独占企業であるグーグルが消費者に自社サービスや製品を高値で売りつけている、という伝統的な独占問題の構図とは違います。でも彼らは、圧倒的な買い手独占なんですよね。何を買っているかというとデータです。我々がせっせと検索したりGメールを使ったりすることで、消費者サービスの向上に欠かせないデータを彼らは回収しているのです。

そう考えると、ある意味では、プラットフォーム時代の小作人が我々消費者なんです。小作人がせっせとデータという畑を耕しているものを、GAFAはほとんど無償で吸い上げている。強烈な買い手独占として、プラットフォーマーは振る舞っていると解釈できるわけですね。もちろん我々もある程度、データ提供について同意はしていますし、無料で使い勝手のいいSNSやメールサービス、検索サービスを使わせてもらっている。それでも、データに関してはほぼ無償で提供してしまっているのは事実です。

買い手独占であれ、売り手独占であれ、独占的な企業が登場してそのシェアが大きくなってしまうと、後発の企業が追い上げることは非常に難しいです。しかも、量と質のトレードオフがない世界に入っているから、ニッチな市場も残っていない。そこをどうやってうまい方向に回せるのかが、経済学者として悩ましく思うところです。

宮田　そこが私も強く関心を持っているところです。その突破口になるのは「共有財としてのデータ」という考え方です。

医療は特にそうなんですね。一人のデータを一万人のデータに足すことによって、一人がよりよい医療を受けられる。一万が十万、百万になってくると全体もよくなってくる。いままでは、石油や石炭のように排他的に所有するルールで経済を回してきました。

でもデータの特質を考えると、共有財としてデータをどう活かすかという発想が重要になってくると思います。もちろん、だからといって誰もが好き勝手に使えるわけではなく、ＧＤＰＲのような個人の情報コントロール権を擁護する仕組みも必要ですが。

安田　エストニアの例が参考になるかもしれません。エストニアのデジタル・ガバメントを支えている根幹はＩＤなんですよね。

エストニアでは、個人が自分のデータをきちんと保護するために、あるいはアクセスするために、絶対に人に教えてはいけない二つのＰＩＮコードを持っています。それを通じて、同意をしたデータに関しては第三者が自由に使うことができる。

ここで面白いのは、誰が自分のデータにアクセスしようとしたか、許可を与えて実際に閲覧したのは誰か、といった情報が全部見えることです。透明化によって悪用を防ぐという仕組みになっていて、使われたくなかったら許可をしないという形できちんと保護もできる。こうした仕組みを実現するためには、デジタルＩＤがきちんと普及して、気軽にアクセスできたり許可を出したりする環境を整える必要があります。

日本でもマイナンバーや、あるいはマイナンバーに紐付いたデジタルＩＤが普及し、それを活用するサービスが増えれば増えるだけ、新しいサービスがローンチするという好循環に入っていけるかもしれません。

宮田　エストニアでは、データを分散して置きながら、健康、銀行、金融といった情報も連結して使えるし、法律も整備されている。たとえば医師であればいつでも情報を閲覧できるけど、規定された目的外だったら捕まる。こういった法律がしっかりあって運用できているんですよね。

私たちが提案している「PeOPLe」というプラットフォームも、まさにエストニアと同じように、マイナポータルで本人を認証できるような仕組みになっています。ただ、エストニアから一歩進んでいるところは何かというと、個人を軸にしてオープンに活用していくことができるという点です。あくまで個人を起点として、必要なときに必要に応じてつなぐ。理想的には、ＧＡＦＡだろうが国家だろうが、あるいは小さい企業だろうが、フェアな条件でデータにアクセスして使える環境までもっていきたいと思っています。

（二〇二〇年二月一九日収録）

第四章

「生きる」を再発明する

テクノロジーはディストピアをもたらすか

二〇一〇年代に入って、ＡＩやビッグデータの影響がしきりに喧伝されるようになると、悲観的な将来像を描く論調も数多く見かけるようになりました。

たとえば『サピエンス全史』や『ホモ・デウス』がベストセラーとなったユヴァル・ノア・ハラリは、情報科学と遺伝子工学の融合によって第二の「認知革命」が起こる結果、人類は、人間ならざる「ホモ・デウス（神たる存在）」と、サピエンスのままの「無用者階級」に二分されるというシナリオを提出しています。

また、メディアでも、人類はＡＩに仕事が奪われてしまうのではないか、データに支配される超監視社会が出現するのではないか、といった危惧はたびたび表明されてきました。

データ活用も含めて、テクノロジーへの過剰な依存が、人類にとって望ましくない未来をもたらしてしまうのではないかという懸念をどのように考えればいいでしょうか。

たしかに新たなテクノロジーの導入が、新しい格差を生み出すケースはよくあります。

今回のコロナ禍に対する対応を見ても、第一章で述べたように、テレワークの導入が大都市では圧倒的に進んだのに対して、地方ではほとんど進みませんでした。あるいは、大学でのオンライン講義の実施にあたっては、大学生の通信環境に格差があることが問題視されました。

情報技術の分野でいえば、現在でも、テクノロジーやデータへのアクセスそのものに格差があり、その格差によって享受できるサービスにも差が出てしまう。こうした、人々の機会の平等を奪うような格差は、社会保障政策によって是正していかなければならないでしょう。

ただ、そういった社会政策の場面でも、データの適切な活用によって、公正な再分配や格差の是正のあり方を変えることができるかもしれません。

これまでは一人ひとりのニーズや境遇に配慮できるような複雑な計算ができなかったので、平均的なモデルを想定して政策を打つのが常でした。しかし、これだけ生き方が多様な時代に、平均モデルはもはや使い物になりません。平均が上がっても、蓋を開けたら一部の金持ちだけが儲けていたということだってあります。

平均に向けた社会政策のツケがもっともよくあらわれているのが、シングルマザーの貧困率です。日本のシングルマザー世帯の相対的貧困率は、五〇％を超えて先進国でワーストです。相対的貧困率とは、ＯＥＣＤの定義では、世帯の可処分所得が全人口の中央値の半分を下回る割合を指します。

日本は、夫婦が生計を一にする世帯モデルの社会政策に偏っているため、そこから外れてしまうととてつもなく冷たい社会になってしまっているわけです。

「新しい社会契約」の必要性

これまでも繰り返し述べてきたように、データやＡＩの利点は、平均値ではなく、一人ひとりに見合った支援を提案できる点にあります。データとＡＩを適切に使えば、一人ひとりの特徴を把握したうえで、その人にとって必要なサービスや体験を届けることができる。ですから、これまでは「最大多数・最大幸福」という形で考えていた社会システムを、「個別最適解の提供・最大幸福」のシステムに変えていくことができる。それを私は「『生きる』の再発明」と呼んでいます。

だとすれば、私たちはデータやＡＩ、情報技術を、格差や貧困を是正するように活用していかなければなりません。もちろん、国内の格差や貧困だけではありません。世界規模の貧困や格差、医療へのアクセス、地球環境、水資源、感染症、平和構築など、私たちが直面している課題を解決するためにこそ、データやＡＩを使っていくことが求められています。

ではいったいどのようにすれば、私たちはデータやＡＩを善用できるのでしょうか。そこで必要になるのが「新しい社会契約」という考え方です。

ふつう「社会契約」というと、人々が自らの権利を守るために、相互に契約することで国家が設立されることを意味します。ホッブズ、ロック、ルソーといった哲学者の社会契約説はそれぞれ違いはありますが、そこで設立されるのが一つの国家である点では共通しています。

しかし現在、前章でも触れたように、気候変動問題のような、国家内の調整だけでは解決できない課題が数多くあります。

グローバルな課題に対しては、国家のみならず企業やＮＧＯ、ＮＰＯのようなすでに実績のある非営利団体の協力も不可欠です。そしてその先には、私たち一人ひとりの課題解決に向けた行動があります。

だとすると、私たちは国家のみならず、地域コミュニティ、企業コミュニティ、ＮＧＯ

コミュニティの一員として行動していると考えることもできます。たとえば炭素ガスの排出量削減に積極的に取り組んでいる企業の商品を買うことは、その企業の一員として活動していると捉えることができるはずです。

ここに、社会契約の考え方を応用してみましょう。私たちは、自分や社会、世界を豊かにするために、その企業を応援するし、企業もその応援にこたえる説明責任をもつ。つまり、さまざまな組織やコミュニティは、そこに関わる人々の社会契約によって運営されていると考えるのです。

20XX年、糖尿病患者の話

この新しい社会契約を現実化していくうえで重要になるのが、前章で示した「共有価値」という概念です。

先述したように、データ駆動型社会では、共有財であるデータが資源となって、多様な共有価値を可視化できるようになります。そして、第二章で解説したようなオープンなプラットフォームは、一人ひとりが多様な共有価値を享受する情報基盤となるものです。

このとき、私たちは自らのデータを元手として、自身のウェルビーイングを高めてくれるような組織やコミュニティに参加することができます。

具体的な例で考えてみましょう。私は以前、「20XX年、糖尿病患者の話」と題した近未来コラムを書いたことがあります（清家篤編著『金融ジェロントロジー』東洋経済新報社）。少し長いですが、それをそのまま引用しましょう。

私は糖尿病を発症し、保健師や主治医の先生のお世話になっています。私の保健医療データは、PeOPLeのシステムに入っており、保健師・主治医が、食事療法をするか、インスリン注射か、透析かといったことを、遠隔地の専門の先生と連携をしながら決めていってくれました。また、保健医療データは薬剤師にも共有されていて、適切な服薬指導をしてくれます。

みなさんの所属は、自治体・診療所・薬局と異なるのですが、私を中心に、切れ目のないサービスをしてくれます。主治医の先生は、専門医と常に連携して、私の体の状況を見ながら、治療が必要となるタイミングの判断を相談してくれているみたいです。

一方で、私自身も健康改善にも取り組まなければなりません。PeOPLeの情報の一部を民間のサービス会社に提供することに同意して、私のスマートフォンにその会社のアプリを入れることで、必要な健康改善の取り組みを提案してくれるようになりました。

例えば、食事療法や運動など、私の忙しい時期・ヒマな時期に応じて、最適なプランを提案してくれます。一律の基準・提案でなく、私のライフスタイルや、その日その日の体調に応じ、最善の行動プランを提示してくれるので取り組みやすくなっており、このアプリなら、私でも楽しく健康改善の取り組みができそうです。

この仮想事例にあるように、「私」は自分のデータの一部を提供することで、健康改善アプリを活用することができる。そしてもし、このアプリの質が低く、民間のサービス会社が利益至上主義に走っていると思ったら、データ提供を打ち切ることもできます。

健康という共有価値をみなで実現するためのプラットフォームがあり、その中で個々人は、自らのデータにもとづいて、それぞれに見合った医療サービスを享受する。このように、個々人と組織やコミュニティが協働しながら、さまざまな共有価値を実現させていく。

そういった新しい人と組織の関係こそ、私が「新しい社会契約」と呼ぶものです。

「新しい社会契約」に近い動きは、すでに私たちは多くの場で経験しています。たとえば私たちは、自分のさまざまなデータをグーグルに提供することによって、Gメールやグーグルマップなど、さまざまなサービスを無料で使えるという利便性を得ています。

もちろん、こうした個人データを使った広告サービスのなかには、共有価値を損ねるものがあり、まだまだ改善の余地が大いにあります。そして、何らかの存在がデータを独占的に使用することも、本書で提案してきたデータの思想とは異なります。

しかし前章で述べたように、グーグルは「AI for Social Good」という理念を掲げて、社会問題解決のためにＡＩを活用する姿勢を明確に示しています。また、ＳＤＧｓの浸透によって、地球のサステナビリティ、人類のサステナビリティへの貢献は、企業のサステナビリティのためにも必須の課題となりつつあるのです。

逆に言えばそういった社会課題を顧慮しないような組織は、人々の支持を失っていくことになるでしょう。

同時に、私たちが意識していなくとも、何を食べて、何を着て、どう過ごすかは世界に影響を与えています。ならば、消費者も同様に変わっていく必要があります。目の前にある商品が、どのような過程で自分にたどり着いているかを考えたうえで商品を選ぶ。そういった一定の倫理観に基づく消費をすることもまた、「公正」という価値を実現する社会契約として捉えることができます。

多層型民主主義とは何か

ホッブズ、ロック、ルソーといった思想家は、のぞましい国家のあり方を根拠づけるために、人民同士の社会契約という物語を組み立てました。

それにならっていえば、これからのデータ駆動型社会では、のぞましい価値コミュニティを基礎づける考え方として、「新しい社会契約」が求められているといえるでしょう。

しかし、社会契約があったからといって、その国家が適切に運営されるとはかぎらないのと同じように、価値のコミュニティが成立したからといって、共有価値が自動的に実現されるわけではありません。

では、新しい社会契約のもとに構想される共有価値のコミュニティを運営するにはどうすればいいでしょうか。脱プラスチックを例に考えてみましょう。

まず、当然のことではありますが、私たち一人ひとりの主体的な行動は不可欠です。それでは掛け声だけで終わってしまうと考える人も多いでしょう。あるいは、個人が意識しなくとも問題が解決する方法を考えたほうがいいと思う人もいるかもしれません。

たしかに革新的なテクノロジーが問題を一挙に解決する可能性もないわけではありません。実際、企業は環境に優しいバイオプラスチックの開発に取り組んでいます。

しかし現時点で開発されているバイオプラスチックの多くは、現実の自然環境で十分に分解しないという品質の問題を抱えています。また、生産効率も低いため、テクノロジーだけで問題を短期に解決することは困難です。

では、「一人ひとりが意識して行動する」ことを掛け声で終わらせないために、どうすればいいか。そういった行動を促す制度やシステムをデザインすることも重要でしょう。

先日カナダは、二〇二一年までにストローやレジ袋などの使い捨てプラスチックを禁止するという政策を発表しました。ただし、こうした政策を実現するうえでも、人々の支持が必要となります。大勢が、便利さを手放すぐらいだったら、脱プラなんてしたくないと考えてしまえば、この政策は棄却されるはずだからです。

こういった国家による規制に対して、民間の事業者や市民が「命令だから守らなければば」という意識では、なかなか課題の解決につながりません。先程のコラムでも書いたように、民間の事業者ならではの工夫を加えることもできるはずです。

たとえば、日本も遅まきながら、二〇二〇年七月からレジ袋有料化が義務付けられました。それとオンライン決済システムを組み合わせれば、「レジ袋不使用」の回数をポイント化して、ポイントに応じて、金銭では購入できないようなサービスや製品を提供したり、貢献分を特定の社会活動に寄付したりと、さまざまな形で活動をデザインすることができるようになります。

中国では、モバイル決済サービスであるアリペイには、二〇一六年に「アント・フォレスト」という公益プラットフォームが組み込まれました。

ユーザーは、徒歩やシェア自転車、地下鉄やバスなど公共交通機関の利用、オンラインでの決済などを行うと、「グリーンエネルギー」というポイントを貯めることができます。このポイントを使ってユーザーは、バーチャルな木を植えて育てていく。そして、バーチャルな木が一定の大きさに成長すると、砂漠に本物の木を植えることができるのです。

日本の電子決済は、ユーザーの囲い込みという企業の思惑で争いが過熱していますが、プラットフォームを用いてどのような社会を実現するかというビジョンが本来は必要ではないでしょうか。

このように、共有価値を実効化するためには、国や行政に任せるだけでなく、ネットワークやデータを活用することによって、社会のさまざまな層でアイデアを出し、取り組みをデザインすることが重要になる。来たるべき「新しい社会契約」の後には、こうした「多層型民主主義」を実践していかねばならないのです。

地方と都市の新しい姿

多層型民主主義というアイデアは、これからの都市や地域コミュニティのあり方を考えるうえでも重要です。

図らずも新型コロナウイルスは、大都市の脆弱性を白日の下に晒しました。都市化はこの一〇〇年、途上国を含む世界のすべての地域で進行している現象です。一九五〇年に二九%だった都市人口は、二〇〇五年前後にアフリカを含む全世界で五〇%を超えています。これは大雑把にいえば、全世界の産業構造がシフトする中で、農村部の仕事が少なくなり、労働者を効率的に活用するために都市部が人々を吸い上げるという仕組みになっているわけです。

世界の中でいち早く、急激な人口減少を経験する日本では、国策として「地方創生」を掲げ、中央で集めた財源を地方へ再配分するさまざまな取り組みを行っています。もちろんそれらの取り組みは意義あるものです。私自身、新潟県で健康情報管理監という職を務め、静岡県では社会健康医学構想に携わりました。また、北九州や沖縄などさまざまな地域で、ヘルスケアの取り組みを支援しています。

しかしながら、全世界で同時進行する「都市化」という大きな流れの中では、地方と同時に、労働力を吸い上げる都市側の未来も同時に考えなければ、真の出口には至りません。地方だけの努力でも、都市部だけの努力だけでも解決しません。であれば、この一〇〇年の「都市化」の先にある、新しい社会のあり方を考える必要があります。

現在、テクノロジー産業と結びついた社会デザインの多くは都市化に関わるものです。これは「スマートシティ」という言葉に代表されています。

国土交通省の定義によれば、スマートシティとは「都市の抱える諸問題に対して、ICT等の新技術を活用しつつ、マネジメント（計画・整備・管理・運営等）が行われ、全体最適化が図られる持続可能な都市または地区」のことをいいます。

長い通勤時間、自然災害への備え、エネルギーなど、都市が抱える諸問題を解決するために、データを活用することが有効なのはたしかです。その点で、スマートシティという構想に異論はありません。

しかし、データが活用できる場は都市だけにかぎりません。本来は、スマートシティだけでなく、スマートヴィレッジ、あるいはもう少し小さい単位としてのスマートコミュニティがあってもいい。また、また単独のエリアとしての発展だけでなく、ネットワークとして相互に価値を高めていくスマートネットワークという構想もあっていいはずです。

たとえばスマートコミュニティのヒントとして、ヤマト運輸の取り組みを挙げることができます。同社は、既存の宅急便ネットワークを活用して、配達時にセールスドライバーが安否確認をしたり、日用品や食品などを個人宅に届けたりといった買い物支援に取り組んでいます。

今後、こうした取り組みに、データ活用した処方薬の管理事業を加えることで、ヤマト運輸のネットワークに新しい価値を組み込むことができるかもしれません。

慢性疾患を持ち、定期的に通院する患者さんが、医師とコミュニケーションをとれる時間は、月一回の問診の数分間など極めて限られています。その限られた時間で、必要な症状や徴候を効果的に伝えることができるかというと、必ずしもそうではありません。直前に気になったことに気をとられる、忘れる、症状はあるが自分で十分に把握できていないといったさまざまな理由で、十分なコミュニケーションが難しいケースもよく見られます。

こうした状況のなかで、日々、訪ねてくる宅配スタッフが情報システムを用いて、服薬状況、薬の副作用の有無、症状改善などについて声がけ確認を行うことができれば、医療者との短い時間でのコミュニケーションの価値を高めるだけでなく、症状が悪化した際には、より適切なタイミングで医療者につなぐことができるようになります。

このように、ヤマト運輸のチャレンジも、工夫一つで、新しいエコシステムに転換できる可能性があります。ものを届けるという既存の取り組みが、人々を支えるという新たな社会インフラに発展するかもしれません。

既存の行政組織が、空洞化する地域だけをターゲットにして取り組みを行うことは簡単ではありません。一方、民間企業であれば、全国にある同様の地域の間でネットワークを構築することは比較的スムーズでしょう。

このようにエリア単位の既存の行政モデルだけでなく、類似の特徴を持つコミュニティや、同様の問題を抱える人、同じ趣味嗜好を持つ人々をネットワークでつなぎ、個々のウェルビーイングを高めるようなライフスタイルをデザインしていく。こうした多層的な社会システムのあり方もまた、多層型民主主義のモデルとなるものなのです。

同時に、多層型民主主義のもとで、それぞれの都市やコミュニティは、住民とともに目指すべき社会のあり方を構想していくことになります。

ある都市では、治安の維持を優先して、自由を制限するかもしれません。あるコミュニティでは、セーフティネットを手厚くする代わりに税率を上げるかもしれません。すべてのパラメーターが高いコミュニティを目指すことも一案ですが、特徴のある「とがった」コミュニティを目指してもいい。さらに、グローバル・ネットワークの中で、目指すべき姿が近いコミュニティで連携をしていくようなあり方も構想できるかもしれません。

いずれにしても、都市化の先の世界では、それぞれのエリアで多様かつ多元的な価値を共創していくことが、多層型民主主義の可能性を拓くものになっていくのです。

食と農業の可能性

私はいま、多層型民主主義の先駆となる分野として、ヘルスケアとともに食や農業に注目しています。

どのようにすれば、データを活用して食の価値を共創できるでしょうか。まず、米国の失敗例をお話ししましょう。

ある巨大プラットフォーマーが米国のスーパー大手を買収した時、投資家たちは喝采を送りました。しかしその後に起きたのは「たしかに安くなったけれども、おいしいものが少なくなった」という現象でした。

GAFAに代表される巨大プラットフォーマーは、既存の産業の不合理な部分に対して、テクノロジーを活用した圧倒的な合理性や効率性で世界を席巻しています。ただ食というものを、効率性という軸だけで評価することは困難です。

私たちがスーパーで買い物をするとき、たしかに値段も判断基準の一つでしょう。しかしそれだけでなく、オーガニックであるか、体に良いか、どういう地域で生産されたか、どんな人が育てたか、旬かどうかなど、さまざまな価値にもとづいて吟味しています。

このような多元的な価値に対して、巨大プラットフォーマーのデータ効率主義は相性が悪いのかもしれません。ただこの事例を、日本の食品関連企業や流通、IT企業とディスカッションした時に、ふと我に返りました。「日本の状況もたいして変わらないのではないか」と。

たとえばトマト一つをとっても、どう調理するかによって、「おいしいトマト」の条件は変わります。多くの日本人が好む、トマトの「甘さ」は、サラダのように生で食べる時には重要な要素です。一方、ミートソースなどの肉とからめる場合には「酸味」が重要になります。また、トマトは出汁としても優秀な食材であり、その時は「旨み」が大きな価値をもたらします。

ただ、現状は流通の問題もあり、そこまで個別的な価値を判断できるような販売が主流にはなっていません。そのため生産者側も、かぎられた農地で形の整った農作物を効率良く栽培することが求められ、それに応えるように、品種改良を行い、土壌を改造し、時に農薬を用いるという形で合理化を図ってきました。

この点の努力はすばらしいものです。特に安全管理という観点から見れば、標準的な管理工程は不可欠です。また、どんな農作物でも一定条件を満たしていれば買い取る、という農協が果たしてきた役割も、農業という産業を安定化させるうえでは重要であり、今後も必要だと思います。

が、それと同時に、先述したような「おいしさ」の多様な価値を付加することも重要です。たとえば、地域の自然な環境で育まれた食材について、その食材の魅力を引き出す調理法を考えることができれば、生産者と消費者の両者にとってよい条件の流通を成立させることができます。いままでは農家が1で売っていたものが、市場で100の価格で売られるのが日本の農業でした。これを農家が5で売り、市場が75で買うだけでも、両者にとってよい状況が生まれます。価値の高い出口であれば、農家が10で売り、市場で150にすることも可能かもしれません。

それを実現するうえで不足しているのは、農産物に対するデータです。すでに現在の技術でも、トマトの「甘さ」「酸味」「旨み」などの要素がわかるように食品にタグをつけ、生産者と提供者、消費者が価値の共創を行うことが可能となっています。

こうした工夫はまだまだ考えることができます。

ある三つ星料理店では、冬を最初に突き破ったタケノコが提供されています。初春の時期に、寒さに抗い生えてくるタケノコは生命力に満ちているだけでなく、独特の味わいがあります。この味わいに料理店は付加価値をつけるのです。この時、タケノコに収穫時期というタイムスタンプをつけるだけで、新たな価値が生まれます。

このように、食や農業という側面をとっても、都市と地域がネットワークを形成し、相互に価値を高め合う多層型民主主義は、生産者と消費者の両者に豊かさをもたらすものなのです。

データを活用した価値の共創は、実はすでに他分野でも始まっています。出版不況下であっても、返本を減らし新しいエコシステムを創ったニューヨークの書店の事例もその一つです。

「これからの経済は人という単位で動く」というのは、東京大学大学院経済学研究科の柳川範之先生の言葉ですが、まさにその通りだと思います。日本食文化の背景には、多様な価値を提供することができる質の高い提供者（料理人、農家）がいます。そして新しい価値に対して対価を払うことが可能な成熟した市場（多様な食文化を醸成する人々）もあります。この両者の条件が整った日本には、価値の共創による新しい食文化を発展させるチャンスが大いにあると感じています。

「新しい日常」とhuman Co-beingの時代

そろそろ本書のまとめに入りましょう。

本書でたびたび用いてきた「データ駆動型社会」という言葉は、データ分析で経済合理性をさらに高める社会のことを意味するものではありません。それも大事でしょう。しかしそれ以上に重要なのは、社会を駆動する価値を、貨幣以外の概念に多元化していくことです。

そのことで貨幣との交換可能性の高い価値だけでなく、既存の貨幣では表現困難な価値を可視化する。それが、私たちの生を厚みのあるものにしてくれるでしょう。

繰り返しになりますが、これまでの産業社会を動かしていた資源は、石油をはじめとする消費財で、有限なものです。有限なものは取り合いになります。そのため、所有を争うルールは、騙し合いのような格好になりやすい。先進国は、途上国の頭を押さえつけながら、資源を奪ってきた歴史も忘れてはならないでしょう。

この所有を誇るための指標がＧＤＰでした。しかし、所有物を奪い合うようなシステムに、人間が振り回されるような時代から、私たちはそろそろ脱却しなければなりません。そしてそれが可能になる条件が整いつつあります。それが「石油からデータへ」という変化です。

データの価値は、使ってもなくなりません。ところが信頼をなくすと根こそぎ枯れ果ててしまう。所有によって競い合うところから、いかに相互信頼のなかでデータを共有して価値をつくるかという思考が、これからの社会には求められているのです。

所有を競う経済モデルから、データを共有し、新しい価値をつくる社会モデルへ移行することは、私たちの生き方にも影響を及ぼしていくでしょう。つまり、経済合理性に貢献するために労働を捧げる人生から、多様な価値を実現するために「生きる」人生に転換することになるのです。

人生一〇〇年時代の中で、一つの組織のみに人生を捧げるという生き方は変わりつつあります。これまでは資本主義の仕組みの中で、経済合理性にいかに貢献するかという点から我々の人生が設計され、残りを余生として過ごすという生き方が主流を占めました。これからは「いかに自分らしく生きるか、自分の大切なライフスタイルや生きがいは何か」という一人ひとりの人生がまず先にあり、そのうえで社会のどのような価値に貢献するのかという順序で考えて、生き方を選ぶ必要があります。

その意味で、真の働き方改革とは、働き方だけでなく、生き方そのものを考えるところから始まるかもしれません。社会における新しい価値の創出や維持という観点から、既存の組織にとらわれず、起業することも、人生における有用な選択肢かもしれない。

その一方で、いま所属している組織の中だからこそできることもあるでしょう。人生の新しい時間軸で、自分が何を大切にして生きていたいか、社会のどのような価値に貢献したいのかを考える。そのときデータは、人間を支配するものではなく、一人ひとりが『生きる』を再発明する」ことをサポートするものなのです。

新型コロナウイルスが、社会のいたるところに影響を及ぼしていった時期に、「新しい日常」という言葉が語られるようになりました。

ここで強調しておきたいのは、「新しい日常」が何を意味するのかは、一人ひとり違うということです。これまでの日常は、社会が求めるスタンダードや平均に合わせて、生活していくことでした。

しかし「新しい日常」は、集団平均ではなく、個別の生の豊かさを大切にしながら、同時に持続可能な社会を実現するものでなくてはなりません。

新しい社会へのパラダイムシフトについて「一言で表すとそれは何か？」という質問を度々受けます。技術的な点に注目すれば、それはデジタル・トランスフォーメーションやＡＩ化、データ駆動型社会というキーワードで表現されます。しかし、これらは手段であって社会変革の本質を示すものではありません。

本書では「ウェルビーイング」という言葉も頻繁に使っていますが、この言葉に対しては「一人だけで輝いていても、それは必ずしも世界の未来につながらない」という指摘をもらったことがあります。これはもっともです。

では、現代のキーワードになっているSDGｓはどうかというと、「開発目標（development goals）」という言葉が、「先進国の上から目線である」という批判もあります。

もちろんこうした批判は、ウェルビーイングに関わるさまざまな研究や実践、SDGｓが積み上げた実績を否定するものではありませんが、どちらも私が本書で伝えたいことを十分に表現できません。最近は、世界とのつながりの中でいのちの輝きを実現することを、「better co-being」という言葉で表現するようになりました。

かつて人類は封建制度のシステムの中で生きていました。次第にそれらは、経済にとって代わられました。いずれの場合でも、あるシステムの中に、人々の生きる役割をはめ込むものでした。しかし、経済合理性のみを重視するシステムにも限界が表出しつつあります。

新しい世界の本質とは、システムが先にあったうえで人々が歯車として生きるのではなく、一人ひとりがどう生きるかが先にあったうえで、他者や社会とつながっていくということだと考えています。つながる世界の中では、個人のウェルビーイングだけで世界を捉えることには限界があります。「better co-being（共によりよくあること）」という視点で、人々の社会を考える必要があり、その時豊かさは、一人で創るものではなく、人々との「co-creation（共創）」の中で生み出されるものになります。またこうした多様な豊かさは、貨幣だけでなくさまざまな共有価値を生み、またデータで価値を共有することで、人々が主体となって社会を駆動させることができます。

これは、いのちを響き合わせて多様な社会やコミュニティを創り、その世界を共に体験する中で一人ひとりが輝く、という社会像につながるものです。これからの社会変革は、一人ひとりの「生きること」を原点にしながら、「co-being（共にあること）」のなかで実現するものだと考えるからです。そのとき人は、また人は「human being」から「human Co-being」という存在になるのだと思います。

対談×大屋雄裕

human Co-beingの時代における「人」とデータのゆくえ

大屋雄裕（**おおや・たけひろ**）一九七四年生まれ。専門は、法哲学。慶應義塾大学法学部教授。著書に『裁判の原点』（河出ブックス）『自由か、さもなくば幸福か？』（筑摩選書）『自由とは何か』（ちくま新書）など。

本章では、データ活用による多元的な価値コミュニティを基礎づける考え方として「新しい社会契約」が求められていること、そしてこの新しい社会契約にもとづき、多層型民主主義を構想する必要があるという議論を展開してきました。社会契約や民主主義というと、私たちはもっぱら国家という枠組みで考えてしまいがちです。しかし多様な価値にもとづくコミュニティは、街の小さな活動から、国境を越えた組織まで、さまざまな規模で運営することが可能です。

では、本書で考えてきたようなデータにもとづくコミュニティの運営思想は、政治思想的にはどのように位置づけることができるでしょうか。この問題を深掘りするために、法哲学者の大屋雄裕先生に対談をお願いしました。

大屋先生とは、これまでも何度も対話を重ねてきた間柄です。折しも、新型コロナウイルスの感染拡大という時期だったことも手伝って、対談は、国家単位では対応できないデータ・ガバナンスというアクチュアルな問題から、新しい社会契約や多層型民主主義の原理を考える貴重な機会となりました。

議論は、本章で十分に展開できなかった論点である「個人の選択能力」まで広がっていきました。ＧＡＦＡや中国の管理社会をイメージすると、個人はデータの小作人や監視対象のように捉えられがちです。しかしデータやＡＩは、個人の選択能力や判断能力を高めることもできます。

「弱い個人vs強いプラットフォーマー」という対立図式ではなく、個人とコミュニティ、あるいは個人と社会が相互に作用しながら、人々が多様な価値を享受できる社会を実現していく。多層型民主主義は、そういったダイナミックな共同性を形づくっていく原理であることを、この対談であらためて確認することができました。

国境を越えたデータ・ガバナンスを誰が担うか

宮田　新型コロナウイルス感染症の拡大に対して、世界各国でさまざまな対応がとられています。具体的な感染経路を追跡する方法に絞ってみても、中国、台湾、香港、韓国は携帯のＧＰＳの位置情報を利用しています。中国や韓国はかなり強権的に実行しましたが、台湾の場合は、専門家が導入プロセスやその目的を丁寧に説明して、国民の理解を得ながら利用するというスタンスをとりました。

一方で、よりプライバシーに配慮した手法として、シンガポールは、感染者との接触機会を検出するコンタクトトレーシング（接触追跡）のアプリを作成しました。これは、端末内にユーザー同士の接近記録を保存し、感染者にそれを提出してもらう形を採用しています。しかしこの方法はアプリの普及率が五七％以下ではそれほど効果がありません。実際、アプリの普及前にシンガポールでは感染拡大が発生してしまいました。

その後、グーグルとアップルが共同で濃厚接触通知アプリ用ＡＰＩを公開したことが話題になりましたが、それを導入するかどうかも国によって異なります。たとえばフランスもイギリスも独自のアプリを開発しているんですね（注：イギリスは、この対談後の六月に独自開発を断念し、グーグルとアップルが提供するAPIを使ってのアプリ開発を進めることにしています）。

これらはいわばテクノロジーと民主主義に関する問題であり、正解はありません。しかし、日本ではそういった議論を十分にしないまま、このAPIを採用しています。本来はもっと民主的な議論を経て、どのような接触追跡の方法を採るのかを決めるべきです。

ただ、こうした一国単位の対応では、カバーできない領域があります。たとえば国境を越えて人が動くときのデータをどう扱うかといった問題です。それらをすべて国任せにしてはリスクがあるし、グーグルやアップルがそういったデータ管理に乗り出すかというと、そこまではやりたがらないでしょう。だとすると、国とも私企業とも違う「データ・コモンズ」のような機関が必要だし、実際私もその準備に関わっています。

これはあくまで一例ですが、国家や巨大プラットフォーマーとは異なる場所から、データを利活用して社会に貢献するアプローチがあります。こうした多層型民主主義というアプローチについて、大屋さんはどのようにお考えですか。

大屋　国境を越えた移動をふまえたデータ・ガバナンスを考えたとき、それを事実上達成しうる能力を持っているのは、スマートフォンのOSを握っているグーグルやアップルしかないわけです。でも、彼らはOSを握っているけれども責任を負いたくないように見える。それはなぜかというと、責任の基盤となる民主的正統性のようなものがないことが大きいと思うんですね。だから、別の責任主体からの要請や指示がないと踏み込んだことはやらないでしょう。

ではそれを国家ができるかというと、宮田先生がおっしゃったように、国境を越える話を国家ベースで解決できるかどうかは大きな問題です。伝統的には、国際機関において合意が成立して、みんなでやりましょうというルートがありましたが、それを担うべきWHOに味噌がついてしまっている。だからWHO中心の合意形成も難しそうです。

ならば、国家間の合意というルートはどうか。私自身は、これから国民国家の逆襲が起きるだろうと考えています。これまでグローバライゼーションを一貫して追求するなかで、その負の側面が見逃されてきたところがあった。そこに新型コロナウイルスが入ってきて、出入国管理のように人や物が国境を越えることを物理的に抑制する力を国家が発揮しました。主権国家のプレゼンスが大きくなったし、それは今後しばらく続くでしょう。その結果として、主権国家間の利害対立が深刻な問題として浮上していくことが懸念されます。そのもっとも典型的な現れが米中対立です。そうすると、国家間合意がうまく成立しない可能性も非常に強いわけです。

結局、国家でもなくプラットフォーマーでもないところで、社会的な合意を形成して実行するような場を作らないと、GAFAも動かないという状況になっているのではないか。そのためには、宮田先生がおっしゃったコモンズ的なものがどうしても必要になってきます。つまり、国家でもなく民間企業べったりでもない、パブリックとプライベートの間にあるような組織です。

コモンズのような発想が必要なのは、日本国内でも同じです。今回のコロナ対応で、現状いちばん成功しているのが台湾であることはまちがいないでしょう。ただそれは台湾の規模だからできたという側面もあります。要するにサイズが小さいわけです。

ここで我々が念頭に置かなければいけないのは、日本という国家はけっこう大きいということですね。アメリカと中国に挟まれているから小さいように感じるけれど、世界全体で見れば人口的にはかなりの大国です。

そういう規模だと、台湾のような形で国中をくまなく動かすのは難しい。そこで日本では、国家と個人との間に地方自治を嚙ませてきたわけです。領域的支配の場合はそれでいいんですね。たとえば水道や道路のようなインフラは、市町村や都道府県でカバーできます。でも地方自治体ではうまく対応できない問題もあります。情報や健康などはそうですね。領域とは異なる枠で区切られるような課題については、地方自治体ではうまくさばけない。そうなると、国家とも地方自治体とも異なるコモンズのような形で課題に対応する必要がそこでも出てくるわけです。そういった「公」「共」「私」が多層的に折り重なって社会的な課題に対応するのが、宮田先生のいう多層型民主主義ではないでしょうか。

宮田　そのとおりです。国家や巨大プラットフォーマーも、もちろんレイヤーの一つとしてあっていいのですが、そこにさまざまなコモンズを嚙ませたほうが、個人のウェルビーイングや社会的な課題に対応できるオプションは増えますからね。

先程の国境を越える移動もそうですが、国家を超えるような課題に取り組む基盤として、EUのように巨大な国家連合体をつくるという発想もあります。GDPRのような新しい人権思想がそこから生まれたことは、非常に重要な意味がありますが、コロナショックのなかでその求心力は低下しているように見えます。大屋先生の言う国民国家の逆襲は、EU内でも起こっていきそうです。

それをふまえると、私は巨大国家連合体よりも、多様な機関や組織、プレイヤーが多層的に問題解決にあたると同時に、人々の多様な生き方を支援するアプローチのほうが可能性があると思うし、そちらを追求していきたいと思っています。

幸か不幸か、日本はいま国家がそれほど強くないこともあって、外側から何とかしないといけないという機運が人々の間で生まれている。ここに、もしかしたらチャレンジの可能性もあるのかもしれません。これが台湾レベルまでいくと、みんな国家を信頼しようとなるんですけど、日本はどうもそうではない。我々のアイデアを集めていかないと、目の前の問題が解決できないという危機感を、多層型民主主義を成熟させていくきっかけとして捉えたいですね。

EUの限界

大屋　台湾のような中小規模の国家だと、政治への手応えがある気がするんですね。自分たちの行動で政治が変わる。だから彼らは「自分たち」という一層で問題解決をするという志向が強い。EUはその規模の中小国家の集合という形で、つまり手応えがあるものとしての国家が集まったらさらに何かできるんじゃないかという実験をしてみたわけですね。

これは実験としては大きな意義があったと思いますが、それぞれの国からブリュッセルが遠くなりすぎて、EU規模の問題に対して人々が手応えを失っているという問題に直面しています。結局、EUはEU官僚たちが動かしているので、我々の民主制が届かないのだという不満がそれぞれの国で出てしまう。その噴出の典型例がブレグジットですが。

宮田　同じような不満はイタリアでも起こっています。最初にイタリアが、コロナ危機に瀕したときに、ＥＵは十分な対応ができなかった。医療提供者の派遣や、医療資源の提供を要望したのに、逆に国境が封鎖されてしまった。イタリアの人々のＥＵに対する視点は大きく変わったということです。地域としての個性を維持しながら、同じ価値観を共有するという超巨大共同体を維持することはこの先は簡単ではないと感じます。現状の中国のように強権の下で、個よりも共同体としての価値を常に優先するのであれば可能かもしれませんが、ヨーロッパの人々はそれを望んではいないでしょう。ですから、それぞれの国家あるいは国家連合体が課題にチャレンジするだけでなく、もっと多様なアクターが社会的問題に取り組む機運は生まれているように感じますね。

大屋　イタリアのような問題が起きたのは、ＥＵが主権国家連合であることが大きいんですよね。要するに、国家が人や物のコントロール権限を持ったまま連合体をつくったから、国境封鎖ができてしまう。

しかも、少し前は大国のブリュッセル不信が非常に強かったんです。イギリスは言わずもがなですが、ドイツもフランスもＥＵには不満を覚えていた。これらの大国も、ＥＵでは存在感が弱い。ベネルクス三国や北欧に食われちゃっている。

なぜかというと、ＥＵの組織運営をそういった国々の出身者に握られているからです。その一つの理由は語学力なんですね。ＥＵ本部では加盟国の言語がすべて使われているので、多言語対応できる人が圧倒的に有利です。そのときに、ベネルクス三国や北欧の人たちはもともと自国が小国だから、英仏独の三ヶ国語くらいはできないと生き残れないと思っている。だから多言語対応のＥＵの政治に入りやすいんですよ。

逆に大国は、自国の言葉しか話せなくてもなんとかなってしまうから、なかなかＥＵに人が出せない。実際イギリスで「うちの若者は英語しかできないんだよね」と愚痴られたこともあります（笑）。そういう事情でイギリスは、ＥＵ内でのプレゼンスの薄さという問題を抱えていた。親ＥＵ派の人たちでさえそう思っているんです。それがブレグジットとして噴出したのに加え、今回の国境封鎖では、経済力の弱い国家がＥＵに対して不信感を持ってしまった。そのため、一層危機が深まっていくかもしれません。

では、ＥＵが抱える権限のやりとりの問題をどう解決すればいいか。巨大国家の中央に全部権限を集めようとしているのが中国モデルですが、これはこれでガバナンスが非常に難しくなるという問題を抱えている。いまのところ結果がよさそうなので、国内から大きな不満は出ていないけれど、このままずっとよい結果を出し続けられるかどうかはわかりません。

ＥＵと違う形で権限を分配し、連邦と州という二層の民主制を作っているのがアメリカですが、ここでも州と連邦の意見対立や、物資の調達をめぐる対立が生じています。

こうした形で大国がいろんなモデルを模索しているなか、日本はどうするのか。繰り返しになりますが、都道府県や市町村という区分けでうまくいく領域は自治体を嚙ませ、うまくいきそうにない領域や、領域横断的な課題についてはコモンズのような「共」を嚙ませるという形で、社会の切り分け方自体を複数化していく。たとえば「全体、中間、個人」ではなくて、その分けていくルートも複数あるような社会や、それを支える社会契約を構想するという方向はあるだろうという気はしています。

コモンズの社会契約

宮田　コモンズ的なものを社会契約として捉える場合、大屋先生だったらどのように説明しますか。

大屋　まず、国家の組織原理は強制所属なんですね。つまり、生まれたらある国の国籍を持たされて、簡単には出られない。絶対出られないわけではないけど、それは例外的な事態であって、古典的な国際法では多重所属は許されていませんでした。

それに対してもう一つの組織原理はアソシエーションというもので、こちらは自由かつ自発的に所属する。だから、そのコミットメントも人ごとに違いがあっていい。一〇〇%捧げている人もいれば、余暇だけは付き合いますという人もいる。また、所属先も一つではなくて、複数所属することもできるのがアソシエーションの原理です。

こういう二つの組織原理をふまえたとき、国家の原理だけに所属することを追求するような国家モデルを中国としましょう。そしてアメリカについては、すべてアソシエーションだという伝統的な見方があります。

フランスの思想家トクヴィル（一八〇五－一八五九）が典型ですが、彼によれば、アメリカ人は社会全体がアソシエーションだと思っている、と。アメリカはそもそもイギリス人の植民地として出発しました。植民地は「みんなで一緒にここに住もう」といってつくるもので、タウン自体がアソシエーションとして出発している。そういうかたちで、自由かつ自発的な所属だけで社会を生成しようという考え方がアメリカであるというモデルで捉えられてきたわけです。

オルタナティブはその中間にあって、物理的に我々の肉体は一つしかないので多重所属はできません。物理的な肉体のコントロールは、国家のようなものや、あるいは国家を分割した地方自治体みたいなものが責任を持っていくしかない。しかし他方で、我々の社会的実在は多様であり多重でありえます。そういう部分的で多重な自主的、自発的参加の諸集団としてコモンズがあると考えられるわけです。

だからコモンズというのは、ある意味で市場的に選択されていくものです。多様な人がここのビジョンは魅力的だと思って積極的に参加したり、さまざまなリソースを供出したりしていくとそのコモンズが栄えていく。逆に、ここはガバナンスが全然ダメだから、付き合いたくないとみんなが思うと廃れていく。そうやって個々の選択によって成立する中間的な組織原理が、コモンズの一つのモデルになると思います。

宮田　おっしゃったように、コモンズが説明責任を果たしているかどうかは、選んでもらえるかどうかというところで試されるわけです。加えて、そのコモンズがどんな共有価値に対してどういう貢献をしているのかを適切に伝えることが、信頼を得る条件になるでしょう。自由、平等、格差の是正、幸福など、さまざまな共有価値がある中で、自分たちのコモンズが何を軸に活動するのか。そういったミッションを説明し、共感を得ることが、活動を続けていくための重要な条件になるわけです。

　私も関わっている「データ・コモンズ」でいえば、国境を越える人に必要な条件を考える場合に、基準そのものをコモンズ側が決めるというより、基準を導くための根拠となる考え方やデータの扱い方を公平性という視点で提示して、主権国家同士や何らかの団体に選んでもらう。それが説明責任を果たすことになると思います。

グーグルとアップルが作った接触追跡アプリにも同様の考え方が適用できるはずです。いまの仕様では、感染拡大が進んでいる地域には対応しきれないかもしれない。そのときに、感染が拡大しているエリアAであれば、接触追跡の記録までは義務化し、開示は同意を得ることにしましょうというような調整ができてもいいはずです。

今回、グーグルとアップルはそれが現時点では困難なので、一律の使い方にしてしまったんですが、同意とプライバシーがコントロールできる範囲で、データを使ったさまざまな提案や自治がありうるはずです。ですから、そのオプションを提示しながら運用していくアプローチを、グーグルとアップルから引き取って、コモンズが行っていくことも考えられます。

大屋　どういう情報についてどういう使い方をするかというところには多様性が必要だし、あったほうがいいということですよね。そうすると、ない情報は使いようがないから、収集したり蓄積する側は広めに取得して、「うちはここは使わないから見ません」とか「うちは見たいから出してください。本人に同意をもらいましたから」というふうに、ケースバイケースで利用法を制御することはできる。つまり、ハードウェア的なコントロールではなくて、それをどう使うかというソフトウェアでコントロールをかけるほうが柔軟だし多様になりうるわけです。

ただ、いまおっしゃったように、グーグルとアップルの接触追跡アプリはハードウェア的にかなり安全なところに情報の範囲や蓄積の範囲を抑えてしまっている。これは彼らなりの事情があって、ソフトウェア的なコントロールまで踏み込んでもお金にならないし、やりすぎて批判されるのも避けたい。だから一律にしておいたということだと思います。でも別の可能性として「ソフトウェア的なコントロールは社会の側が受け持つから、君たちは心配せず情報を取って蓄積してくれ」という運用もありえるわけですよね。「公」か「共」的な機関がその引き受けをする主体となる。そういう公共の確立が必要なんだという話ですね。

宮田　そこが共有財であるデータのいちばんの特徴ですよね。データは本質的には使ってもなくならないものなので、所有ではなくて利用目的でコントロールするほうが柔軟なんです。共有財としてのデータを社会的な説明責任を果たしながら皆でレギュレーションを考えていく点に、多層型民主主義の可能性があるわけです。

セットメニューからアラカルトへ

宮田 では、そのときに個人の側はどう考えるべきか。コロナの状況を考えてみましょう。本人が望まないなら、プラットフォーマーやコモンズにデータを一切置かないことも許容されるべきだと思います。ただし、その場合には社会の側がその個人に自由な移動を認めないことになるんです。つまり個人は選択権を持つことはできるけれど、情報を共有するかどうかがその個人の活動にも制約を及ぼすことがあるわけですね。

たとえば、「私は自分の地域から一歩も出ないからデータなんて出さない」という選択はできる。でも、そのかわり仮に海外に出ることになったら、出る前も出た後も何日間かの隔離を課されるかもしれない。逆にいえば、データを提供することで、隔離されることなく海外に行けることになる。そのバランスを引き受けることが、個人の側から見た社会契約ということになります。

個人の一つ一つの選択が社会や世界に影響するし、自分にも返ってくる。この感覚が民主的な社会のいちばん大事な部分ですよね。一人ひとりの「生きる」ということが世界に影響を与えて、それを響かせ合う中で自分の生活にもその結果が返ってくる。

人類の歴史を振り返ったとき、最初は王のもとで人々は歯車として統合されていました。それが近代以降、経済の支配システムがあって、その後に人があるという道を我々は選んできたけれども、そろそろ一人ひとりの「生きる」が響き合う中でシステムを作るチャレンジに舵を切りましょうというのが私の提案です。

それこそが本来の民主主義のはずなんですよね。これまでの民主主義は王権は打開したものの、経済システムの中での歯車に甘んじ続けていたというのがこの数百年です。この個人と世界の位置関係を変えていくことが、人類の大きな挑戦だし、それを私は「文明の夜明け」と呼んでいるわけです。

大屋　そのとおりだと思います。多様で分散した関係の中から自分で選択していかなくてはいけない。そして選択にしくじったら、その結果は受け止めなくてはいけないということに、たぶんならざるをえないわけですね。

そうならざるをえないんですけど、これまではそれがつらいから選択の幅を国家に縮減してきたところもある。たとえば多様なコモンズの団体があったとき、その中には信用できないものがあるかもしれないし、表では綺麗なことを言っているけど裏でマルチ商法をやっているようなものも混ざっているかもしれません。

そのときに、もちろん個々人が情報を集めて信頼性を評価してコミットできるかどうかを決めようというのは一つのモデルですが、個々人にそれだけの情報収集とか分析の能力がないから、法人認証制度を作ってきたわけですね。

法人を登記して、「この団体は実在して、資本金がいくらあります」とか、あるいは「NPO団体としてちゃんと活動実態があります」ということを、国家が情報として提供してきた。要するに信頼の土台としての国家があった。ちなみに、それが十分に発達しなかった中国ではその代替として個人信用スコアがはびこることになったんです、というのが私の最近のお気に入りのストーリーです。

ところが、そうやって国家を信頼の基盤にしてきたんだけれども、それだけでいいのかというのがいま生じている状態です。それともう一つは、これまでは我々生身の人間が自分の見聞の範囲で信頼性をチェックするからつらいという状況だったんですが、その状況が変わるわけですよね。それこそ個人信用スコアのように、ビッグデータを用いて個人がどの程度信頼できるかとか、ある団体の評価がどのくらいかということが可視化される。

そうすると、もともと複雑な人間関係、社会関係があって、それを生身の人間が処理できないから国家に集約する形で処理してきたものを、多様な関係のほうに戻しましょうと。そうやって人々が自由かつ自発的に関係を選択できるモデルのほうへ引き戻していく。それで社会が回ることを担保するために、情報技術を使うわけですね。個々人の情報集約と判断の能力をエンハンスすることによって、この問題を解くのだというのが一つのモデルだと思います。

宮田　おっしゃるとおりですね。情報そのものは本来ニュートラルであり、適切に使えば個人の可能性を高めるはずのものなんです。

でも、個人の人生を豊かにするためにどうデータを活用するかは、やっぱりエージェントがいないと現実には難しいわけですね。一定のデータを適切な形で預けたうえで、その分経済活動の可能性を得るという活用の仕方もあれば、提供するデータは健康に関するものだけに絞って、受け取れる可能性もほどほどにするという生き方もありえると思います。

大屋 これまではセットメニューしかなかったんですよ。国家というセットメニューしかなかったところに、GAFAが出てきて多少多様化したんですけど、やっぱりセットメニューしか選べない。なぜかというと「お前らにはわからねえだろ」と足元を見られているからです。全部個別には評価できないだろうから、セットメニューを食べてくださいと。

でも、適切なエージェントを噛ませて情報処理する能力をエンハンスすれば、アラカルトで選べるはずです。そのうえで「でもまあ、俺はこのセットでいいや」というのは選択としてありでしょうが、それは定食メニューしかない中で定食を取るのとは意味が違うというのが重要なポイントだと思います。

宮田 そういう意味では、多層型民主主義はアラカルトも選べる社会ですよね。食べたくないものは食べないようにできる。いままでは胃袋の大きさを均一にして「お前はこれを食べろ。残すな」という押し付けしかなかった。でもデータを使えば、個別化ができる。本来GAFAの世界も個別化なんですが、利益を上げるための個別化しかなかったんですね。そうではなく、私たちが選ぶ個別化があっていい。トップダウンの論理でデータを使うのではなく、ボトムアップで汲み上げて、そこにさまざまな可能性を紡げるかどうかが勝負になるでしょう。

（二〇二〇年五月一九日収録）

あとがき

新型コロナウイルスを端緒として始まった世界の変化の行く末はまだわかりません。しかし、読者の皆さんには、この本をきっかけに現状を捉え、未来をどう変えるべきかというビジョンの下で、自分がどう「生きる」のかを考えていただければ、嬉しく思います。

この本を出版するにあたり、企画の段階から一緒に議論を深めてくれた佐渡島庸平さん、藤田卓仙さんに、深く御礼申し上げます。山本龍彦先生、安田洋祐先生、大屋雄裕先生には、対談に応じていただいただけでなく、原稿の確認作業に時間を割いていただき感謝申し上げます。対談の準備と設定にあたっては慶應義塾大学サイバー文明研究センター（CCRC）事務局の皆様にも御礼を申し上げたいと思います。対談原稿をまとめ、本書全体の構成を整えてくださった、ライター・斎藤哲也さん、編集の朝田明子さん、大変お世話になりました。ありがとうございました。皆様との共創を通じて、これからも新しい社会における「生きる」ということを考えていきたいと思います。

二〇二〇年八月　　宮田裕章

編集協力　斎藤哲也

河出新書 020

共《きょう》鳴《めい》する未《み》来《らい》

データ革命《かくめい》で生《う》み出《だ》すこれからの世《せ》界《かい》

二〇二〇年九月二〇日 初版印刷
二〇二〇年九月三〇日 初版発行

著者 宮《みや》田《た》裕《ひろ》章《あき》

発行者 小野寺優
発行所 株式会社河出書房新社
〒一五一‐〇〇五一 東京都渋谷区千駄ヶ谷二‐三二‐二
電話 〇三‐三四〇四‐一二〇一［営業］／〇三‐三四〇四‐八六一一［編集］
http://www.kawade.co.jp/

マーク tupera tupera
装幀 木庭貴信（オクターヴ）
印刷・製本 中央精版印刷株式会社

Printed in Japan ISBN978-4-309-63121-9

「学校」をつくり直す

苫野一徳
Tomano Ittoku

「みんな一緒に」「みんなで同じことを」は、
もう終わり。
未来の社会をつくる子どもを育てる
学校が変わるために、私たちには何ができるだろうか。
数多の“現場”に携わる、
教育学者による渾身の提言!

ISBN978-4-309-63105-9

河出新書
005